Ffuglen a Ffaith

Eleri Llewelyn Morris
Eirlys Pugh Roberts

Cyhoeddwyd gan Y Ganolfan Astudiaethau Addysg, Aberystwyth
ISBN: 1 85644 681 6

Cydnabyddiaethau

Dymuna'r cyhoeddwyr ddiolch i'r canlynol am ganiatâd i gynnwys darnau o destun, lluniau a chloriau:
Clawr: Gwasg Gomer, Gwasg Dinefwr, Gwasg Gee, Y Lolfa ac Urdd Gobaith Cymru

Steve Eason/ Photofusion: t. 10(ch); Peter Marshall/ Photofusion t.10 (d); Paul Mattsson/ Photofusion t.11 (g); Marian Delyth t. 11(t); Gwasg Gomer t.27, 32 [Y Ffrogiau yn *Te gyda'r Frenhines*, Mihangel Morgan], 40; Iaith Cyf. t. 28, 38-39, 139; Gwasg Gee t.31 (t) [*Tywyll Heno*, Kate Roberts], 107 [Glaw, T. J. Morgan yn *Ysgrifau Llenorion*, gol. John Lasarus Williams], 119 [*Naddion*, Islwyn Ffowc Ellis]; Y Lolfa t. 62, 98-99 [*Pam Fi, Duw, Pam Fi?* John Owen]; Eric Hall t. 64, 65; Sonia Edwards t. 67; Marlis Jones t.67; Anghrarad Jones t. 73-74; Lowri Hughes/ Urdd Gobaith Cymru t. 87; Manon Fflur Spencer t.89-93; Siân Williams/ Urdd Gobaith Cymru t.97; Rhys Ifan/ Urdd Gobaith Cymru t. 104; Llys Eisteddfod Genedlaethol Frenhinol Cymru t.109; Emma Humphries / Urdd Gobaith Cymru t.112-113; Karina Perry / Urdd Gobaith Cymru t.120; *Y Cymro* t.122; *Golwg* t.134-135.

Ni fu'n bosibl olrhain perchennog pob hawlfraint yn y gyfrol hon. Gwahoddir y perchenogion hynny i gysylltu â'r cyhoeddwyr.

Dymunwn ddiolch i'r panel fu'n gysylltiedig â'r project hwn am bob awgrym a chyngor gwerthfawr: Meinir Ebsworth, Non ap Emlyn, Shoned Wyn Jones, Tim Samuel, Debra Thomas, Katrin Williams.

Cynllun y clawr a dylunio: Enfys Beynon Jenkins
Ymchwil lluniau a hawlfraint: Gwenda Lloyd Wallace
Argraffwyr: Argraffwyr Cambria

Rhagarweiniad i Diwtoriaid

Mae'r llyfr hwn yn cynnig arweiniad i fyfyrwyr sy'n dilyn cwrs Cymraeg Ail Iaith, Safon Uwch Gyfrannol ac Uwch ar sgiliau ysgrifennu. Mae Adran A yn canolbwyntio ar waith dychmygus ac Adran B ar ysgrifennu ffeithiol. Mae'r unedau cyntaf sy'n sôn am syniadau, technegau ac arddull yn gyffredinol ac yn berthnasol i wahanol fathau o ysgrifennu, er mai enghreifftiau o storïau a ddyfynnwyd.

Mae yma nifer o Ymarferion. Awgrymiadau yw'r rhain ac y mae rhyddid, wrth gwrs, i diwtoriaid lunio eu hymarferion eu hunain. Ni ddisgwylir ychwaith i fyfyrwyr wneud pob un o'r ymarferion. Bydd myfyrwyr wedi ymarfer llawer o'r sgiliau wrth astudio cwrs TGAU Saesneg. Ond, mae'n bosibl y bydd tiwtoriaid yn teimlo y dylent gynhesu'r myfyrwyr cyn iddynt wneud y tasgau. Hoffem nodi hefyd nad oes raid cael grŵp ar gyfer pob ymarfer lle mae'r logo yn dangos hynny. Rydym yn ymwybodol fod y niferoedd yn y Chweched Dosbarth yn amrywio o ysgol o ysgol. Mae rhyddid i diwtoriaid hefyd ddewis pa unedau sydd fwyaf addas neu fwyaf buddiol i'w hastudio.

Ar dudalen 66 mae ymarfer sy'n rhoi cyfle i fyfyrwyr ddisgrifio gwrthrych. Wrth gynnal gweithdai, bydd Eleri Llewelyn Morris yn defnyddio *passion fruit* ond dymuna eich cynghori i ddweud wrth y myfyrwyr am beidio â gwasgu'r ffrwyth hwnnw, neu unrhyw ffrwyth arall a ddewiswch os oes perygl iddo golli ei sudd!

Mae nifer o'r dyfyniadau mewn tafodiaith. Efallai y bydd rhain yn peri peth trafferth mewn rhai ardaloedd.

Mae rhai tasgau yn awgrymu defnyddio cyfrifiadur. Hoffem pe baech yn annog y myfyrwyr i ddefnyddio'r cyfrifiadur ble bynnag mae cyfle i wneud hynny, e.e. wrth ail-ddrafftio eu gwaith.

Mae hawl i lungopïo tudalennau 63, 131 a 142.

Mae rhestr o'r ffurfiau rydyn ni'n eu trafod ar y dechrau a geirfa berthnasol (yn nhrefn yr wyddor) yng nghefn y llyfr.

Byrfoddau

(eg) : enw gwrywaidd, *masculine noun*

(eb) enw benywaidd, *feminine noun*

(ell) enw lluosog, *plural noun*

(a) ansoddair, *adjective*

(adf) adferf, *adverb*

Ffurfiau

adolygiad, -au: (eg) *review*
adroddiad, -au: (eg) *report*
agenda
cofnod, cofnodion: *record, -s / minute, -s*
deialog
drama
dyddiadur, -on : (eg) *diary, diaries*
e-bost: *e-mail*
erthygl, -au: (eb) *article, s*
ffacs
ffurflen, -ni: (eb) *form, -s*
holiadur, -on: (eg) *questionnaire*
hunangofiant: (eg) *autobiography*
hysbyseb, -ion: (eb) *advertisment, -s*
hysbysebu: (b) t*o advertise*
llythyr, -au: (eg) *letter,-s*
memo
nofel, -au: (eb) *novel, -s*
portread, -au: (eg) *portrait, -s*
sgript
stori, storïau: (eb) *story, stories*
ymson: *soliloquy, monologue*
ysgrif, -au: (eb) *essay, -s*

Allwedd i'r Symbolau

 trafod

 ysgrifennu

 gwylio

 cyfrifiadur

 gwaith pâr

 gwaith grŵp

 gwaith unigol

CYNNWYS

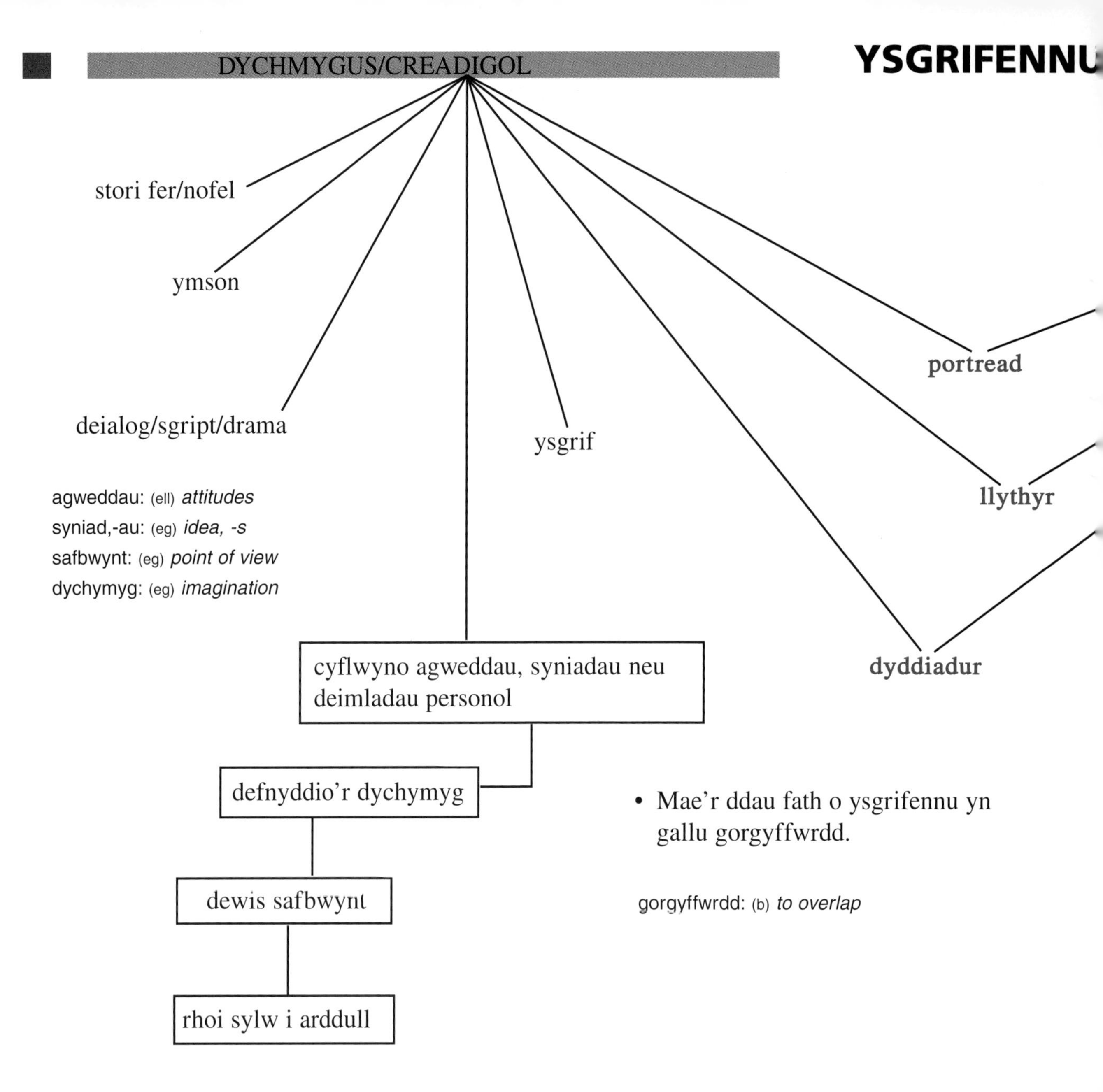

agweddau: (ell) *attitudes*
syniad,-au: (eg) *idea, -s*
safbwynt: (eg) *point of view*
dychymyg: (eg) *imagination*

- Mae'r ddau fath o ysgrifennu yn gallu gorgyffwrdd.

gorgyffwrdd: (b) *to overlap*

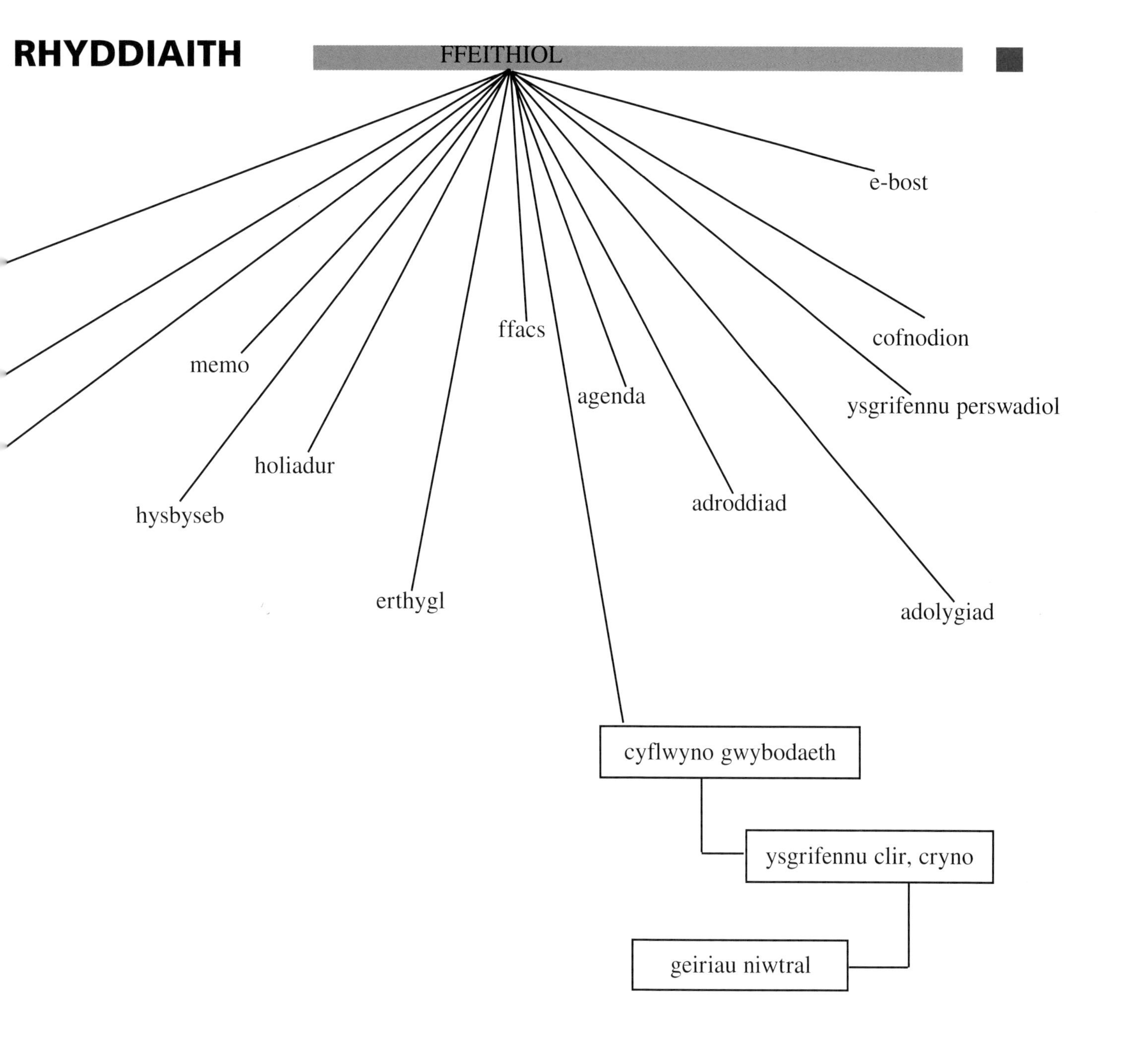

Mae'n rhaid i bob awdur ystyried pwy ydy ei gynulleidfa.

Adran A
1. Syniadau

profiadau pobl sydd o'n cwmpas – perthnasau, ffrindiau a chydnabod.

Ond efallai na fydd eich teulu neu'ch ffrindiau eisiau i chi ysgrifennu amdanyn nhw!

- Defnyddiwch brofiadau pobl eraill fel sbardun yn unig + y dychymyg.

profiadau: (ell) *experiences*

sbardun: (eg) *stimulus*

ein profiadau ni ein hunain, gan eu defnyddio

- yn union fel y digwyddon nhw, neu
- fel sbardun yn unig + y dychymyg.

a) Sut i G

rhywun neu rywbeth rydyn ni wedi ei weld a theimlo chwilfrydedd yn ei gylch.

Cafodd un ferch syniad am nofel pan oedd hi'n mynd i'r dref yn y bws. Arhosodd y bws wrth ddod at oleuadau traffig. Roedd mynwent yn ymyl. Gwelodd y ferch ddyn yn dod allan o'r fynwent. Roedd yn cario blodau – blodau ffres.

Dyma'r ferch yn dechrau meddwl:

Dyna od! Dyn yn dod **allan** o fynwent yn cario blodau. Pam tybed?

Trodd y golau coch yn wyrdd a dyna'r bws yn mynd. Welodd y ferch mo'r dyn hwnnw byth wedyn. Doedd hi ddim yn gwybod pam roedd e'n dod â'r blodau allan o'r fynwent. Ond, doedd dim ots. Roedd hi wedi teimlo chwilfrydedd. Defnyddiodd hi ei dychymyg ac ysgrifennodd nofel.

mynwent: (eb) *graveyard*

chwilfrydedd: (eg) *curiosity*

gwaith awduron eraill – ond peidiwch â chopïo. Defnyddiwch hyn fel sbardun yn unig. Adeiladwch arno gyda'ch profiadau a'ch dychymyg eich hun.

y cyfryngau a'r rhyngrwyd – cymerwch syniad a'i ddefnyddio yn eich byd chi eich hun.

cyfryngau: (ell) *the media*
rhyngrwyd: (eg) *internet*

I Syniadau

lluniau – ffotograff neu baentiad olew + y dychymyg.

rhywbeth y mae rhywun yn ei ddweud mewn sgwrs

Un diwrnod, aeth Oscar Wilde, yr awdur, i stiwdio arlunydd. Roedd yr arlunydd yn gwneud portread o ddyn ifanc hardd iawn. Ar ôl i'r gŵr ifanc adael, edrychodd Oscar Wilde ar y llun a dweud: 'Dydy o'n drist bod yn rhaid i ddyn ifanc mor olygus fynd yn hen a cholli ei harddwch?'

Atebodd yr arlunydd: 'Ydy, mae'n drueni na fedrai o aros yn ifanc ac yn olygus am byth a'r portread yma fynd yn hen yn ei le'.

Rhoddodd hyn syniad i Oscar Wilde am nofel, sef *The Picture of Dorian Gray*.

arlunydd: (eg) *artist*

trueni: (eg) *a shame / a pity*

cyngor: (eg) *advice*
cyfarwydd â: *familiar with*

Cyngor da : ysgrifennwch am bethau rydych chi'n gyfarwydd â nhw.

Ymarfer 1.1

Dewiswch y pennawd papur newydd sy'n apelio fwyaf atoch. Gofynnwch y cwestiynau sy ar dudalen 9 a gadewch i'ch dychymyg grwydro wrth eu hateb. Gwnewch nodiadau o'ch atebion.

crwydro: (b) *to wander*

NAIN YN CAEL SIOC

CORGI'R FRENHINES AR GOLL

NEWID BYD I WRAIG TŶ

Bywyd dwbwl bachgen ysgol

Gwyliau'n troi'n hunllef

hunllef: (eb) *nightmare*

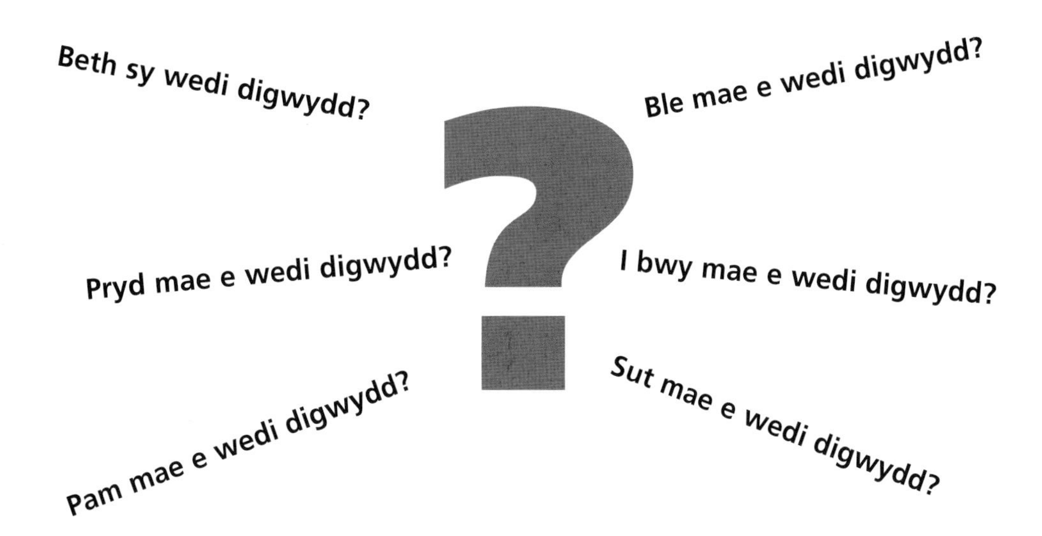

sgerbwd: (eg) *skeleton, outline*

Ymarfer 1.2

Meddyliwch am y dyn yn dod allan o'r fynwent (tud. 6). Beth ddigwyddodd

- cyn iddo ddod allan o'r fynwent?
- ar ôl iddo ddod allan o'r fynwent?

Dyna sgerbwd stori.

chwilfrydig: (a) *curious*
gorffennol: (eg) *past*

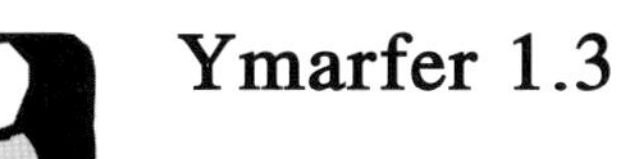

Ymarfer 1.3

Ydych chi'n cofio sylwi ar rywun yn gwneud rhywbeth oedd yn gwneud i chi deimlo'n chwilfrydig? Dychmygwch orffennol a dyfodol i'r digwyddiad hwnnw.

Dyna sgerbwd stori.

Ymarfer 1.4

Dewiswch lun sy'n apelio atoch.
Gofynnwch gwestiynau am y llun e.e. llun y wraig a'r plant ar y trên:

Pwy ydy'r wraig? / Ble mae'r plant yn mynd? / Ydyn nhw'n teithio ar eu pennau eu hunain? / Fydd rhywun yn eu cyfarfod? / Beth sy'n gallu mynd o'i le?

Ysgrifennwch sgerbwd stori.

Cymharwch eich storïau.

FIRE
DOCTOR
FIRE

b) Troi syniad yn stori

y cam nesaf: *the next step*
cynllun, -iau: (eg) *plan, -s*

Ar ôl i chi gael syniad am stori, y cam nesaf ydy gwneud cynllun. Bydd hyn yn gwneud eich gwaith yn haws yn nes ymlaen.

Dyma i chi stori fer ysgafn, 'Anrheg Nadolig'. Darllenwch hi.

ANRHEG NADOLIG

gan Eleri Llewelyn Morris

Bath ciwb ydw i. Mi ddisgrifia i fy hun i chi er mwyn i ni ddod i nabod ein gilydd yn well.

modfedd: (eb) *inch*
lafant: (eg) *lavender*
gwyddfid: (eg) *honeysuckle*
efaill: (eg) *twin*

Dw i'n mesur modfedd bob ffordd, dw i'n biws ac mae 'na arogl lafant arna' i. Un wisg sydd gennyf, ac yn honno y byddaf yn byw ac yn bod. Siwt o bapur aur gloyw ydy hi a siaced o bapur piws tenau dros y siwt. Dw i'n un o deulu o chwech. Mae gen i ddau frawd melyn ag arogl hyfryd gwyddfid arnyn nhw, a dwy chwaer binc sy'n arogli o rosod. Hefyd, mae gennyf efaill sydd o'r un lliw ac arogl â mi fy hun.

yn gytûn: (adf) *harmoniously*
anuchelgeisiol: (a) *without ambition*
uchelgais: (eg) *ambition*
ymdoddi: (b) *to dissolve*
uchafbwynt: (eg) *climax*
ymddangos: (b) *to seem*
cyflawni: (b) *to achieve, to accomplish*

Mae'r chwech ohonom yn byw yn gytûn mewn tŷ o focs cardbord ac iddo chwech o ffenestri. 'Dan ni'n ddistaw iawn fel teulu, ac yn hollol anuchelgeisiol. Yn wir, ein hunig uchelgais mewn bywyd ydy hyn: cael ein chwalu'n bowdwr a'n gollwng i fath o ddŵr poeth, braf – a chael ymdoddi ynddo'n raddol nes uno â'r dŵr a rhoi iddo ein lliw, tra bo'n haroglau bendigedig ein hunain yn llenwi pob man! Dyna fyddai uchafbwynt ein bywydau; er mwyn hynny y cawsom ein creu. Ond heddiw, mae'r chwech ohonom yn teimlo'n anhapus dros ben gan ei bod yn ymddangos na chaiff ein huchelgais ni byth mo'i gyflawni . . .

yn dalog: (adf) *cockily*

y llynedd: (eb) *last year*

ymosod: (b) *to attack*

rhwygo: (b) *to tear*

yn ffrwcslyd: (adf) *in a tizz*

serennu: (b) *shining (like stars)*

yn siomedig: (adf) *disappointed*

ar gyfyl: *anywhere near*

Ers talwm, roedd ein tŷ ni ar silff mewn siop fferyllydd yn y dref a'r chwech ohonom yn sefyll yn dalog, pob un yn ei ffenestr ei hun, gan geisio denu sylw'r cwsmeriaid. Un diwrnod daeth gwraig ganol oed a'i merch i'r siop, a chlywais y fam yn dweud,
"Be ga'i i Elin y 'Dolig 'ma d'wad?"
"Dwn i ddim wir, Mam!"
Daethant i sefyll o flaen ein tŷ ni.
"O, mi neith hwn yn iawn iddi hi, yli. Bocs o fath ciwbs. Tydi o ddim yn ddrud a does arna' i ddim isio gwario ond cyn lleied ag y medra' i arni hi. Mae'n siŵr mai rhyw hen hancesi ar ôl y llynedd ne' rwbath roith hi'n ôl. Be wyt ti'n feddwl?"
"Ia, mi neith o'n iawn."
Prynodd y wraig ni a chariodd ni allan i'r byd yn ei basged.

"Nadolig llawen iawn i ti Elin, a dyma bresant bach oddi wrtha i."
"O, does dim isio i ti," meddai Elin.
"Oes, 'Tad. Rwbath bach ydy o."
"Wel, diolch yn fawr iawn iti, Dora."
Cyn gynted ag yr oedd Dora drwy'r drws, rhedodd Elin atom ni ac ymosododd ar y papur Nadolig coch a gwyrdd a lapiodd Dora amdanom.
" O, ys gwn i be' dw i wedi 'i ga'l," meddai Elin, gan rwygo'r papur yn ffrwcslyd yn ei chyffro. Ond syrthiodd ei llais pan welodd hi ni ein chwech yn serennu o'i blaen.
"Ych a fi! Hen fath ciwbs!" meddai hi'n siomedig. "Un sâl am bresant fu Dora erioed o ran hynny. A does dim isio i minna' sôn o hyd 'mod i'n licio mynd i'r bath cymaint a finna' byth yn mynd ar gyfyl y lle! O daria, be' wna' i efo nhw?"

gwesteiwyr: (ell) *hosts*
lleithder: (eg) *dampness*
barrug: (eg) *frost*
gwichian: (b) *to squeak*
mwmial: (b) *to mumble*
tywynnu: (b) *to shine*
yn hwyr glas: *high time*
archwilio: (b) *to examine*
tolcio: (b) *to dent*
llyfnhau: (b) *to smooth*
tolc: (eg) *dent*
cael gwared â: *to get rid of*
paid â chyboli: (b) *don't be silly*

Gallai'r chwech ohonom ddweud wrthi hi beth i'w wneud â ni, sef ein defnyddio yn y bath. Ond yr hyn a wnaeth Elin oedd ein rhoi mewn cornel oer o ddrôr yn y llofft, a chau arnom. Yno y buom am amser maith, yn westeiwyr anfodlon i leithder a barrug ac yn yfed yr annwyd, un ar ôl y llall.

Pob hyn a hyn, fodd bynnag, byddai'r hen ddrôr oer yn gwichian agor a dyna lle byddai Elin yn sefyll yno o'n blaenau gan fwmial wrthi'i hun:

"Ys gwn i be' fedra' i 'i roi i ffwrdd eleni?"

Yna, dewisai un o'r anrhegion yn y ddrôr i'w roi i ffrind neu berthynas yn anrheg Nadolig neu ben-blwydd. Byddem ninnau'n ceisio dal ei sylw trwy dywynnu ein siwtiau aur gloyw arni hi. Roedd yn hwyr glas gennym gael symud o'r lle. Un Nadolig fe sylwodd arnom.

"O! yr hen fath ciwbs 'na," meddai hi. "Mi neith y rheina'n iawn."

Cipiodd ni o'r ddrôr ond, yn ei brys, gollyngodd ni nes i ni daro'r llawr.

"O! O! O!" llefodd Elin gan ein codi yr un funud a'n harchwilio yn fanwl. "O diar, maen nhw wedi tolcio ychydig bach. Ys gwn i fasai rhywun yn sylwi?"

Ceisiodd lyfnhau wal gefn ein tŷ lle roedd y dolc ac meddai hi:

"Mae o'n edrach rywfaint gwell rŵan. Dw i'n siŵr nad ydy o i'w weld. Ac mi sgwenna' i bris – pris reit uchal – ar y cefn, a'u rhoi nhw i Cadi er mwyn i mi ga'l gwarad â nhw."

A dyna a wnaeth.

"Presant 'Dolig bach i ti gin i, Cadi. Gobeithio y lici di o."

"O, paid â chyboli, Elin," meddai Cadi.

"Twt twt! Mae pawb isio presant 'Dolig siŵr!"

Phrotestiodd Cadi ddim mwy.

Cadwodd hi ni tan fore'r Nadolig cyn tynnu'r papur a roddodd Elin amdanom. Yn wahanol i Elin, bu Cadi am amser maith yn dadbacio. Ceisiai ddal ac ymestyn pob eiliad er mwyn hwyhau ei mwynhad o weld beth oedd yn y parsel. Agorai'r papur yn araf ac yn ofalus. "Ys gwn i be' ydy o," meddai hi.
Ond yr eiliad nesaf, daeth swyn y dadbacio i ben. Gwelodd ni ac meddai:
"O naci, nid bath ciwbs o bob dim! A finna'n rhy fusgrell i fynd i'r bath. Wel, does 'na ddim ond un peth fedra' i 'i neud efo nhw. Mi gadwa' i nhw tan 'Dolig nesa a'u rhoi nhw'n bresant i rywun arall."
Rhoddodd Cadi ni mewn bocs cardbord mawr gyda nifer o anrhegion Nadolig eraill a arhosai yr un dynged â ninnau. Ac i dorri stori hir yn fyr, dyna fu ein hanes am rai blynyddoedd. Pob Nadolig, byddai pwy bynnag y byddem yn ei meddiant ar y pryd yn ein pacio ni'n grand a'n rhoi yn anrheg i rywun arall. A byddai honno wedyn yn ein cadw mewn drôr neu focs neu gwpwrdd tan y Nadolig canlynol. Er nad oedd yr un cartref y buom ynddo cyn waethed â drôr oer Elin, ni fuom yn hapus iawn yn yr un ohonynt. A'r hyn a'n poenai ni yn fwy na dim oedd bod ein cyfle i gael ein defnyddio a chael ein huchelgais yn mynd yn llai o flwyddyn i flwyddyn, fel yr oeddem ni'n mynd yn hŷn ac yn llai deniadol.
Ond eleni, roedd pethau yn edrych tipyn yn well nag o'r blaen, a theimlai'r chwech ohonom yn ysgafnach nag a wnaethom ers talwm. Y rheswm dros ein hoptimistiaeth oedd hyn:
Un bore, clywsom Nia, ein perchennog ar y pryd, yn siarad gyda'i mam.
"Dw i bron â rhoi'r hen fath ciwbs 'ma i Mrs Jones drws nesa eleni. Maen nhw wedi mynd yn ddigon hyll, ond mae hi'n deud o hyd y gallai hi dreulio oriau yn y bath."

ymestyn: (b) *to extend, to stretch*

musgrell: (a) *decrepit*

tynged: (eb) *fate*

meddiant: (eg) *possession*

canlynol: (a) *following*

cyn waethed â: *as bad as*

deniadol: (a) *attractive*

ers talwm: *a long time ago*

perchennog: (eg) *owner*

ar y pryd: *at the time*

wyneb i waered: *upside-down*

pwnio: (b) *to nudge*

sylweddoli: (b) *to realise*

dibynnu: (b) *to depend*

danfon: anfon (b) *to send, to take*

rhuthro: (b) *to rush*

i'r afael â: *to get to grips with*

tybad/tybed: *I wonder*

gwaredwr: (eg) *saviour*

mewn dryswch: *perplexed*

yn gyfarwydd: *well-known, familiar*

"Wel ia wir," meddai'r fam, "rho nhw iddi hi. Mae presantau wedi mynd yn rhy ddrud i'w prynu y dyddia' yma."
Trodd Nia ein tŷ ni â'i wyneb i waered ar y bwrdd, ac yna ysgrifennodd rywbeth ar ei gefn.
"NADOLIG LLAWEN A BLWYDDYN NEWYDD DDA i Mrs Jones oddi wrth Nia," darllenodd yn uchel wrth sgrifennu. Yr eiliad honno, pwniodd y chwech ohonom ein gilydd. Roeddem i gyd wedi sylweddoli beth roedd hyn yn ei olygu. Roedd Nia wedi sgrifennu ar gefn ein tŷ ni, ac felly ni fedrai Mrs Jones ein rhoi yn anrheg i neb arall y Nadolig nesaf. Byddai yn rhaid iddi ein cadw am byth, a byddai yn siŵr o'n defnyddio hefyd gan iddi ddweud wrth Nia y gallai dreulio oriau yn y bath. Mrs Jones oedd ein hunig obaith bellach; arni hi roedd popeth yn dibynnu.

Danfonodd Nia ni at Mrs Jones drws nesaf bore heddiw. Prin roedd Nia wedi gadael y tŷ cyn i Mrs Jones ruthro i'r afael â ni.
"Be' dw i wedi'i ga'l eleni tybad?" meddai hi wrth ei gŵr.
Roedd y papur Nadolig i ffwrdd mewn fflach. Edrychodd y chwech ohonom i fyny ar wyneb ein gwaredwr, ond meddai hi,
"Ych a fi! Hen fath ciwbs. Dyna'r peth casa' un gin i 'i ga'l gan na fydda' i byth yn mynd i'r bath."
Roeddem ein chwech mewn dryswch mawr. Roedd y wraig hon wedi dweud wrth Nia a'i mam ei bod yn hoff iawn o fynd i'r bath – ond dyma hi yn awr yn dweud na fyddai hi byth yn mynd yno. Ymhellach, roedd y geiriau yna . . . a'r llais yna . . . yn gyfarwydd i ni. Cododd Mrs Jones ein tŷ ni, a gwelodd sgrifen Nia ar y cefn.

craffu: (b) *to look intently*

archwilio: (b) *to examine*

gyferbyn â: *opposite to*

gobaith: (eg) *hope*

lluchio: (b) *to throw*
grym: (eg) *strength*
o'i cho: *enraged*

"O John," meddai hi wrth ei gŵr, "mae'r hen Nia fach yna wedi sgwennu ar gefn y bocs 'ma. Fedra' i mo'i roi o i neb arall 'Dolig nesa, rŵan."
Ar hynny craffodd Mrs Jones ar y pris ar gefn ein tŷ ni.
"Wyst ti be' John," meddai hi, "dw i fel taswn i wedi gweld y bath ciwbs yma yn rywla o'r blaen,"
a dechreuodd ein harchwilio'n fanwl – yn enwedig o gwmpas y dolc a'r pris ar gefn y tŷ. Cododd ni nes ein bod gyferbyn â'i hwyneb, a'r munud hwnnw torrodd pawb ei galon yn ein tŷ ni. Roeddem i gyd wedi gweld yr hen wyneb yna o'r blaen, ac mewn drôr oer yn y tŷ hwn y gwnaethom dreulio cyfnod gwaethaf ein bywydau. Roedd pob drws bellach wedi ei gau i ni; pob gobaith wedi ein gadael. Ond os oeddem ni'n teimlo'n ddigalon o weld Elin Jones unwaith eto, doedd hithau ddim yn falch o'n gweld ninnau.
"Wel, wel, ar fy ngwir," meddai Elin, "dyna ydyn nhw hefyd! Fy mlydi bath ciwbs fi fy hun wedi dwad yn ôl!" – a lluchiodd ni'n bell o'i golwg gyda holl rym dynes o'i cho'!

c) Sut i ddatblygu syniad a chynllunio

Dyma Eleri Llewelyn Morris yn egluro sut y cafodd hi'r syniad a sut yr aeth ati hi i gynllunio'r stori.

Y sbardun

Derbyniais focs o fath ciwbs yn anrheg Nadolig. Er eu bod wedi eu lapio'n grand mewn papur Nadolig coch a gwyrdd, roedd y bath ciwbs eu hunain yn edrych yn hen ac yn hyll. Doedden nhw ddim yn dathlu eu Nadolig cyntaf ar y ddaear, yn amlwg!

hyll: (a) *ugly*
dathlu: (b) *to celebrate*

Fe es i â nhw i'w dangos i Mam. Chwerthin wnaeth Mam. "Wel wir," meddai hi, "tasai'r bath ciwbs yma'n gallu siarad, mae'n siŵr y basai ganddyn nhw stori ddifyr iawn i'w dweud!" Y funud y dywedodd hi hynny, fe ges i syniad am stori fer ar ffurf hunangofiant bath ciwb!

difyr: (a) *entertaining*

Datblygu'r syniad

Ceisiais ddychmygu sut 'fywyd' roedd y bath ciwbs wedi ei gael. Roeddwn i'n gallu eu dychmygu yn cael eu rhoi yn anrheg gan un person i'r llall, flwyddyn ar ôl blwyddyn. Meddyliais y byddai'n ddoniol pe bai'r bath ciwbs, ar ôl crwydro am hir, yn cael eu rhoi yn ôl i'w perchennog cyntaf. Roeddwn yn teimlo y byddai hynny'n ddiweddglo da.

diweddglo: (eg) *ending*

Cryfhau'r stori

Penderfynais roi uchelgais i'r bath ciwbs, sef cael eu defnyddio mewn bath. Wedyn, roedd yn rhaid egluro eu bod newydd ddeall nad oedd hynny'n debygol o ddigwydd. Roeddwn yn gweld hwn yn fan cychwyn naturiol i'r stori ac yn rhoi rheswm i'r bath ciwb sy'n ei hadrodd fynd ati i ddweud ei hanes.

yn debygol: (adf) *likely*
man cychwyn: *starting point*

crynhoi: (b) *to summarize*
nod: (egb) *aim, purpose*

canolbwyntio: (b) *to focus*

Crynhoi'r nod
Ceisiais grynhoi nod y stori mewn brawddeg neu ddwy ar bapur. Mae cadw'r nod o'ch blaen tra rydych yn ysgrifennu yn help i ganolbwyntio ar yr hyn rydych eisiau ei ddweud.

Wrth weithio ar 'Anrheg Nadolig' fe ysgrifennais i rywbeth fel:

NOD

Ysgrifennu hunangofiant bath ciwb sy'n cael ei roi yn anrheg gan un person i un arall, un Nadolig ar ôl y llall, nes cael ei roi yn ôl i'w berchennog cyntaf. Mae hyn yn golygu na fydd ei uchelgais o gael ei ddefnyddio mewn bath poeth, braf byth yn digwydd.

golygfeydd: (ell) *scenes*

Llunio'r cynllun
Y cam nesaf oedd meddwl am nifer o 'olygfeydd'. Fe wnes i restr ohonyn nhw, gan adael digon o le rhwng pob un er mwyn medru cynllunio ambell i olygfa yn fwy manwl yn nes ymlaen.

ffaith: (eb) *fact*
siom: (eb) *disappointment*
ôl-fflachiadau: (ell) *flashbacks*

ymateb: (eg) *response, reaction*

diweddaraf: (a) *latest*

gollwng: (b) *to drop*
tolcio: (b) *to dent*

Y drafft cyntaf:

- cyflwyno'r bath ciwb
- sôn am ei uchelgais a'r ffaith ei fod newydd gael siom
- cael ôl-fflachiadau yn dangos:
  - y bath ciwbs yn y siop
  - y bath ciwbs yn cael eu rhoi i'w perchennog cyntaf
  - ymateb eu perchennog iddynt
  - y bath ciwbs yn "byw" mewn drôr yn ei thŷ
- y bath ciwbs yn cael eu rhoi i rywun arall
- ymateb honno iddynt
- nodi bod hyn wedi digwydd iddynt sawl gwaith
- y bath ciwbs yn cael eu pacio gan Nia, eu perchennog diweddaraf
- y bath ciwbs yn cael eu rhoi i'w perchennog newydd
- ymateb eu perchennog "newydd" iddynt

↓

Cynllunio pellach

Er mwyn i'r stori weithio rhaid gwneud yn siŵr:

1. **na fydd Elin yn medru rhoi'r bath ciwbs yn anrheg i rywun arall eto, ar ôl iddi eu cael yr ail waith.**

   Sut?

Cael Nia i ysgrifennu "NADOLIG LLAWEN A BLWYDDYN NEWYDD DDA i Mrs Jones oddi wrth Nia" ar gefn y bocs.

2. **bod Elin yn adnabod y bath ciwbs ar ôl iddyn nhw ddod yn ôl.**

   Sut?

Ei chael hi i'w gollwng nhw wrth eu tynnu o'r drôr nes tolcio'r bocs, ac yna i ysgrifennu pris go uchel ar ei gefn. Byddai'r dolc a'r pris, yn ei sgrifen hi, yn help iddi adnabod y bocs ar ddiwedd y stori. Hefyd, byddai ysgrifen Nia ar gefn y bocs yn tynnu ei sylw ato.

cyfeirio at : (b) *to refer to*
iau: (a) *younger*

cynhyrfu: (b) *to become agitated*
llyfnhau: (b) *to smooth*

arwyddocâd: (eg) *significance*

datgelu: (b) *to reveal*

3. na fydd y darllenydd yn adnabod Elin yn rhy fuan. Sut?

Ei galw hi'n Elin ar y dechrau, ac yna cael Nia i gyfeirio ati fel 'Mrs Jones'. Mae gofyn gwneud Nia yn iau nag Elin felly. Iddi hi, 'Mrs Jones' ydy Elin.

Pan oeddwn i'n fodlon ar hyn, fe ysgrifennais nodiadau yn y cynllun gwreiddiol:

- cyflwyno'r bath ciwb
- sôn am ei uchelgais a'r ffaith ei fod newydd gael siom
- cael ôl-fflachiadau yn dangos:
  - y bath ciwbs yn y siop
  - y bath ciwbs yn cael eu rhoi i'w perchennog cyntaf
  - ymateb eu perchennog iddynt
  - y bath ciwbs yn "byw" mewn drôr yn ei thŷ
- y bath ciwbs yn cael eu rhoi i rywun arall

Elin yn eu gollwng wrth eu tynnu o'r drôr. Cefn y bocs yn cael ei dolcio. Elin yn cynhyrfu. Yna, ceisio llyfnhau cefn y bocs a sgwennu pris (uchel) arno (ceisio gwneud iawn am y dolc trwy ddangos ei fod wedi costio cryn dipyn)

- ymateb honno iddynt
- nodi bod hyn wedi digwydd iddynt sawl gwaith
- y bath ciwbs yn cael eu pacio gan Nia, eu perchennog diweddaraf

Nia yn sgrifennu "NADOLIG LLAWEN A BLWYDDYN NEWYDD DDA i Mrs Jones oddi wrth Nia" ar gefn y bocs. Y bath ciwbs yn falch. Pwnio'i gilydd. Deall arwyddocâd hyn. Nia yn siarad efo'i mam. Galw Elin yn 'Mrs Jones' bob amser.

- y bath ciwbs yn cael eu rhoi i'w perchennog newydd
- ymateb eu perchennog "newydd" iddynt

Datgelu mai Elin ydy 'Mrs Jones' a chyfeirio ati fel Elin Jones unwaith cyn diwedd y stori.

newid trefn: (b) *to change the order*

ychwanegu: (b) *to add*

terfynol: (a) *final*

↓

Rhoi sylw i fân bwyntiau

Gyda'r cynllun o'm blaen roedd yn bosibl chwarae â digwyddiadau'r stori:

- eu symud o gwmpas er mwyn newid eu trefn i weld sut roedden nhw'n gweithio orau
- ychwanegu ambell eitem a chael gwared ag un arall

Yna ysgrifennu ail ddrafft a gwneud trydydd drafft – un terfynol – cyn dechrau ysgrifennu.

↓

Pwysigrwydd plannu

Yn ôl at y cynllun am funud – er mwyn gwneud yn siŵr bod Elin yn adnabod y bath ciwbs ar ôl iddi eu derbyn am yr ail waith, fe benderfynais ei chael hi i'w gollwng a'u tolcio nhw, ac yna i ysgrifennu pris ar gefn y bocs. Ond, **pryd** yn y stori roedd hyn i ddigwydd? Roedd hi'n bosibl peidio â sôn amdano tan y diwedd – fel bod y stori yn darllen fel hyn:

Ond os oeddem ni'n teimlo'n ddigalon o weld Elin Jones unwaith eto, doedd hithau ddim yn falch o'n gweld ninnau.
Edrychodd yn ofalus ar gefn ein tŷ. Fel roedd hi'n digwydd, pan oedd Elin yn ein codi ni o'r drôr i'n rhoi yn anrheg i Cadi, roedd hi wedi ein gollwng ar y llawr yn ei brys. Cafodd wal gefn ein tŷ ei tholcio ac roedd Elin yn poeni y byddai rhywun yn sylwi arno. Roedd hi wedi ceisio llyfnhau'r rhan o'r wal lle roedd y dolc, ac roeddem wedi ei chlywed yn dweud:
"Mae o'n edrach rywfaint gwell rŵan. Dw i'n siŵr nad ydy o i'w weld. Ac mi sgwenna' i bris – pris reit uchal – ar y cefn, a'u rhoi nhw i Cadi er mwyn i mi ga'l gwarad â nhw."
Rŵan, rhedodd ei bys yn araf ar hyd y dolc gan syllu'n fanwl ar y pris.
"Wel, wel, ar fy ngwir," meddai, "dyna ydyn nhw hefyd! ...

cymharu: (b) *to compare*
cytuno (b) *to agree*

Cymharwch y ddau fersiwn. Ydych chi'n cytuno bod y fersiwn gwreiddiol yn well?

argraff: (eb) *impression*

cyfleus: (a) *convenient*

Byddai peidio â sôn am ollwng y bocs tan y diwedd yn rhoi'r argraff mai newydd feddwl am y peth ar y pryd mae'r awdur. Felly mae'n anodd i'r darllenydd ei dderbyn. Mae i'w gweld yn ffordd rhy gyfleus o gael Elin i adnabod y bath ciwbs.

Ond am fod hanes gollwng y bocs wedi ei "blannu" yn gynharach yn y stori, mae'r darllenydd yn gallu derbyn bod Elin yn ei adnabod o'r dolc a'r pris yn nes ymlaen.

dyfeisiau: (ell) *devices*

Mae'n bosibl cael eich darllenydd i dderbyn pob math o ddyfeisiau yn eich plot **ond mae'n rhaid i chi ei baratoi ymlaen llaw trwy blannu gwybodaeth yn gynharach yn eich stori.**

COFIWCH mai'r amser i feddwl pryd a ble i wneud hyn ydy **ar ôl i chi lunio cynllun eich stori – cyn dechrau ysgrifennu.**

gweledigaeth: (eb) *brainwave, vision*

Y weledigaeth

yn gyffredinol: *in general*

rhagrith: (eg) *hypocrisy*

Roedd y ffaith bod fy nghymdoges wedi rhoi hen anrheg i mi yn dweud rhywbeth, nid yn unig amdani hi, ond am bobl yn gyffredinol. (Wedi'r cyfan, nid y hi ydy'r unig un i roi anrheg ail law i ffrind neu berthynas!)

Gwnaeth i mi feddwl bod llawer o ragrith yn y ffordd rydyn ni'n dathlu'r Nadolig. Roeddwn i'n teimlo bod yr hyn a ddigwyddodd i'r bath ciwbs yn symbol o hynny.

Felly stori am bobl ydy 'Anrheg Nadolig' go iawn – nid stori am fath ciwbs.

Ymarfer 1.5

Dychmygwch eich bod wedi ofni rhywbeth ar hyd eich bywyd ond heb ddweud wrth neb. Nawr, rydych chi'n sylweddoli bod ar bobl eraill ofn hefyd – er eu bod nhw, o bosibl, ofn rhywbeth gwahanol i chi. Rydych chi eisiau rhannu'r "weledigaeth" hon â phobl eraill.

camau: (ell) *steps*

Dilynwch y camau:

1. ysgrifennu **nod** y stori
2. trafod sut rydych chi'n gallu **dangos** bod ar bawb ofn rhywbeth – er nad ydy pawb yn ofni'r un peth
3. meddwl beth fyddai'n rhaid digwydd yn y stori er mwyn dangos hyn
4. gwneud rhestr o'r gwahanol olygfeydd y byddai'n rhaid eu cael er mwyn i'r stori weithio a llunio cynllun bras
5. trafod oes angen
   - pob golygfa?
   - golygfeydd eraill?
   - newid trefn rhai o'r golygfeydd?
   - creu unrhyw ddyfeisiau er mwyn i'r stori weithio?
   - plannu gwybodaeth ymlaen llaw? Ble?
   - manylu'n fwy yma ac acw?
6. gwneud ail ddrafft ac efallai drydydd
7. cymharu eich drafft terfynol â gwaith grwpiau eraill yn y dosbarth.

manylu: (b) *to go into detail*

Ymarfer 1.6

Meddyliwch am rywbeth sy wedi digwydd yn eich bywyd chi fyddai'n gwneud stori dda.
Yn eich tro, dilynwch y camau:

- trafod
- llunio nod
- cynllunio

dilyniant: (eg) *sequence*
rhesymegol: (a) *logical*

ch) Dilyniant rhesymegol

Rydych chi wedi cynllunio sawl sgerbwd stori. Rydych chi wedi meddwl ble i blannu darn o wybodaeth.

- Wrth wneud hynny roedd yn rhaid i chi feddwl am y dilyniant:
  - Beth sy'n dod yn gyntaf?
  - Beth wedyn?
  - A beth wedyn?
  - Oeddech chi'n adeiladu at uchafbwynt?
- Neu efallai eich bod wedi meddwl am un digwyddiad sy'n ganolog i'r stori. Yna, roedd popeth arall yn troi o gwmpas y digwyddiad hwnnw.

uchafbwynt: (eg) *climax*

adeiladwaith: (eg) *structure*

Mae pob awdur yn talu sylw i adeiladwaith pob darn mae'n ei ysgrifennu:

- yn cynllunio dechrau, canol a diwedd
- yn torri'r cyfanwaith yn baragraffau
- yn gofalu bod pob paragraff yn dilyn yr un sydd o'i flaen ac yn cysylltu gyda'r un sy'n dod ar ei ôl
- yn gofalu bod popeth yn berthnasol
- yn trefnu ei syniadau fel bod y darllenydd yn deall rhediad ei feddwl

cyfanwaith: (eg) *whole piece of work*
cysylltu: (b) *to connect*
perthnasol: (a) *relevant*
rhediad: (eg) *flow*

Mae dilyniant yn bwysig o fewn paragraff.

Darllenwch yr enghraifft yma:

> Roedd y dyn yn sefyll yn llonydd, yn hollol lonydd. Doedd dim sŵn o gwbl. Doedd dim byd yn symud; doedd neb yn siarad; doedd yr adar ddim yn canu a doedd dim trafnidiaeth ar y ffordd islaw. Roedd hynny'n od, oherwydd roedd y dyn yn sefyll ar falconi hen dŷ mawr yng nghanol Llundain, ar brynhawn braf ym mis Mai.
>
> *Y Trip* gan Philip Davies

Sylwch ar :

negyddol: (a) *negative*

- yr ail frawddeg. Brawddeg negyddol ydy hon: 'Doedd dim . . .
- y drydedd frawddeg sy'n adeiladu ar yr un patrwm – 'Doedd dim . . . doedd neb . .
- y frawdddeg nesa' sy'n dweud wrthyn ni pam rydyn ni i fod i sylwi ar hyn – mae hi'n ddistaw mewn lle sy'n arfer bod yn sŵn i gyd.

Mae'r awdur wedi dechrau gyda'r dyn, – 'y dyn yn sefyll'. Yn y frawddeg olaf mae'n dod yn ôl at 'y dyn yn sefyll', a'r ailadrodd yma yn dod â ni yn ôl i'r dechrau.

saernïo: (b) *to fashion, to construct*

cadwyno: (b) *to link*

Mae'r awdur felly wedi meddwl am y dilyniant, wedi saernïo ei baragraff yn ofalus, wedi cadwyno dechrau a diwedd y paragraff.

Mae'n dechrau'r paragraff nesaf gyda'r 'dyn' hefyd:

> 'Edrychodd y dyn ar ei gyfaill'.

Rydyn ni wedi gallu gofyn y cwestiwn 'A beth wedyn?' a chael ateb.

arddull adroddiadol: *narrative style, reporting*

Dyna'r patrwm pan fydd awdur yn ysgrifennu mewn arddull adroddiadol:

- ar ddiwedd pob paragraff rydych chi'n gallu gofyn y cwestiwn, 'A beth wedyn?'
- neu ar ddechrau paragraff newydd rydyn ni'n gallu dweud, 'Ac yna . . .'

Rydyn ni'n gallu gweld dilyniant rhesymegol mewn deialog hefyd, e.e.

"Ble oedddet ti wythnos diwetha?" meddwn i wrth Joe 90. "Doeddet ti ddim yn yr ysgol."

"Es i ar fy ngwyliau," meddai Joe.

"I ble?"

"Sbaen."

"Pa ran o Sbaen?"

"Dydw i ddim yn siŵr. Bwlgaria dw i'n meddwl."

Sêr y Dociau Newydd gan Dafydd Huws

(Mae'r ddeialog hon ar dudalen 39 hefyd)

Mewn darnau ffeithiol hefyd bydd awdur yn saernïo'r gwaith yn ofalus:

- bydd y darllenydd yn gallu dilyn rhediad meddwl yr awdur yn rhwydd
- os bydd awdur yn ceisio perswadio'r darllenydd i gytuno â'i safbwynt e bydd y naill baragraff ar ôl y llall yn cryfhau ei ddadl.

cryfhau: (b) *to strengthen*

Trefn amser

arwain: (b) *to lead*

Mae'n bosibl bod trefn amser bendant yn arwain y darllenydd drwy'r darn e.e.

- cyfres o lythyrau, gyda'r dyddiad ar bob llythyr
- dyddiadur
- stori neu ysgrif fel yr un sy ar dudalennau 112-13 sy'n sôn am ddigwyddiadau un diwrnod
- nofel sy'n dweud hanes teulu dros lawer o flynyddoedd.

Ôl-fflachiadau

Weithiau bydd stori yn dechrau yn y canol efallai a chymeriad yn cofio rhywbeth oedd wedi digwydd pan oedd e'n blentyn. Bydd ôl-fflachiadau yn y darn. Ond eto, mae'r awdur yn gwneud yn siŵr bod y darllenydd yn gallu dilyn rhediad ei feddwl.

Newid trefn amser

dryswch: (eg) *confusion*

Dro arall bydd awdur yn fwriadol yn newid trefn amser, yn ei blygu'n ôl a blaen, er mwyn dangos dryswch meddwl cymeriad.

gwallgof: (a) *mad*

Weithiau mae eisiau dangos bod cymeriad yn wallgof, e.e. Yn y nofel *Un Nos Ola' Leuad* gan Caradog Prichard, mae'r prif gymeriad yn wallgof.
Does dim dilyniant rhesymegol yn y nofel.

arddull argraffiadol: *impressionistic style*

Mae'r awdur yn ysgrifennu mewn arddull argraffiadol.

2. Technegau

a) Sut i ddechrau

hoelio sylw: *to grip the attention*

Mae'n bwysig iawn i unrhyw waith dychmygus ddechrau'n dda. Os na fedrwch chi hoelio sylw eich darllenydd ar y dechrau fydd e ddim yn darllen ymlaen.

Ymarfer 2.1

Edrychwch ar y pedwar paragraff cyntaf sy'n dilyn.

Trafodwch y darnau gyda'ch gilydd a gofynnwch y cwestiwn:

- Fyddwn i eisiau darllen stori fer neu nofel sy'n dechrau gyda'r paragraff hwn?
- Pam?

gwyddwn: *I knew*

coban: (eb) *nightdress*
cwta: (a) *short*

dychmygol: (a) *imaginary*

yn serth: (adf) *steeply*
llethrau: (ell) *slopes*
trwchus: (a) *thick*

copa: (eg) *summit*

ymdrech: (eb) *effort*
golygfa: (eb) *scenery*

Paragraff 1

CYN imi lawn ddeffro gwyddwn fod Sali uwch fy mhen yn barod i dynnu fy llygaid o'u tyllau wedi i mi eu hagor. Yr oedd hi fel hyn bob bore, fel rhyw Gandhi yn ei choban gwta, efo'i thraed mawr a'i choesau tenau. Ei gwallt wedi'i glymu fel cynffon ceffyl a'i cheg ddi-ddannedd yn cnoi rhyw ddeilen de ddychmygol.

Paragraff 2

ROEDD y mynydd yn codi'n serth o'r traeth. Ar ei lethrau roedd coed tal yn tyfu. Mewn rhai mannau, roedd y coed yn drwchus iawn ac, oherwydd hynny, doedd neb wedi llwyddo i greu llwybr yr holl ffordd i'r copa. Dim ond defaid oedd i'w gweld yn crwydro yno. Yn wir, ychydig iawn o bobl oedd wedi cyrraedd y copa erioed – er, i'r rhai hynny a wnaeth yr ymdrech, roedd gwobr yn eu haros gan fod yr olygfa oddi yno yn werth ei gweld.

campwaith: (eg) *a masterpiece*
eilun: (eg) *idol*
delw: (eb) *image*
drych: (eg) *mirror*
brith: (a) *speckled*
coroni: (b) *to crown*
gruddiau: (ell) *cheeks*
pantiog: (a) *hollow*
eirin: (ell) *plums*
siffrwd: (b) *to rustle*
amrannau: (ell) *eyelids*

Paragraff 3

GLORIA, rwyt ti'n gampwaith, yn bictiwr, yn eilun, meddai Tecwyn wrth ei ddelw ei hun yn y drych...

Yn lle'i wallt brith, tenau, seimllyd ei hun, yn coroni'i ben roedd pentwr o gyrlau aur; yn lle'i ruddiau pantiog llwyd roedd ganddo fochau cochion meddal fel eirin; yn lle'i wefusau llinellsyth, roedd ganddo ddau fwa coch, a siffrydai a sbonciai'i amrannau fel dwy bili-pala, du anferth.

clychau'r gog: *bluebells*
gloywddu: *shining black*

hufen: *cream*
meddyliaf: *I think*

Paragraff 4

NOSON las oedd hi – a hwnnw'n las clychau'r gog ... Y tu allan i'r caffi roedd yr awyr yn ddu, loywddu yn barod a'r sêr cynnar bron yn wyn. Y tu mewn, roedd popeth naill ai'n fformica coch neu'n baent hufen wedi melynu . . . ond pob tro y meddyliaf am y noson honno, cofiaf hi fel noson las.

Nawr, rydyn ni am edrych ar bob darn i weld beth oedd yr awdur yn ceisio'i wneud wrth ysgrifennu'r paragraff:

Paragraff 1

Paragraff cyntaf y stori fer hir *Tywyll Heno* gan Kate Roberts

Mae'r stori'n dechrau gyda brawddeg gyntaf sy'n rhoi sioc i'r darllenydd er mwyn 'deffro' a dal ei sylw.

Mae'r disgrifiad o Sali yn codi cwestiynau:

- Pwy ydy Sali?
- Pam mae hi am dynnu llygaid rhywun o'u tyllau?
- Ble maen nhw? – Ble mae hyn yn digwydd?

Er mwyn cael yr atebion i'r cwestiynau hyn, mae'n rhaid i ni ddarllen ymlaen.

Paragraff 2

Darn disgrifiadol ydy hwn, darlun fel llun camera o fynydd serth. Ydych chi'n disgwyl stori dda?

Paragraff 3

Paragraff cyntaf y stori fer *Y Ffrogiau* gan Mihangel Morgan.

tro yng nghynffon: *a twist in the tail*

Mae tro yng nghynffon brawddeg gyntaf y stori fer hon. Efallai bod yn rhaid i ni ei hailddarllen i wneud yn siŵr ein bod wedi ei deall yn iawn y tro cyntaf!

Mae'n defnyddio syrpreis i wneud i'r darllenydd gymryd sylw.

Yma eto, mae'r disgrifiad o Tecwyn/Gloria yn ennyn chwilfrydedd:

- Pam mae Tecwyn wedi gwisgo fel hyn?
- Beth sy'n mynd ymlaen yma?

awgrymu: (b) *to suggest*

Hefyd, mae'r dechrau rhyfedd yn awgrymu bod yma stori wahanol.

Paragraff 4:

Paragraff cyntaf y stori fer *Stori Las* gan Eleri Llewelyn Morris. Dyma'r awdures yn egluro:

annisgwyl: (a) *unexpected*

anghyffredin: (a) *unusual*

ennyn chwilfrydedd: (b) *to arouse curiosity*

Fy mwriad ydy tynnu sylw'r darllenydd o'r funud gyntaf. Felly, rydw i'n dechrau gyda brawddeg fer ac annisgwyl. Byddwn wedi gallu dweud – 'Noson oer oedd hi' ond mae 'Noson las oedd hi' yn fwy anghyffredin. Yr un pryd rydw i'n ceisio ennyn chwilfrydedd: Noson beth? Beth ydy noson las? Er mwyn deall, rhaid darllen ymlaen.

Sylwch ar y siart hwn:

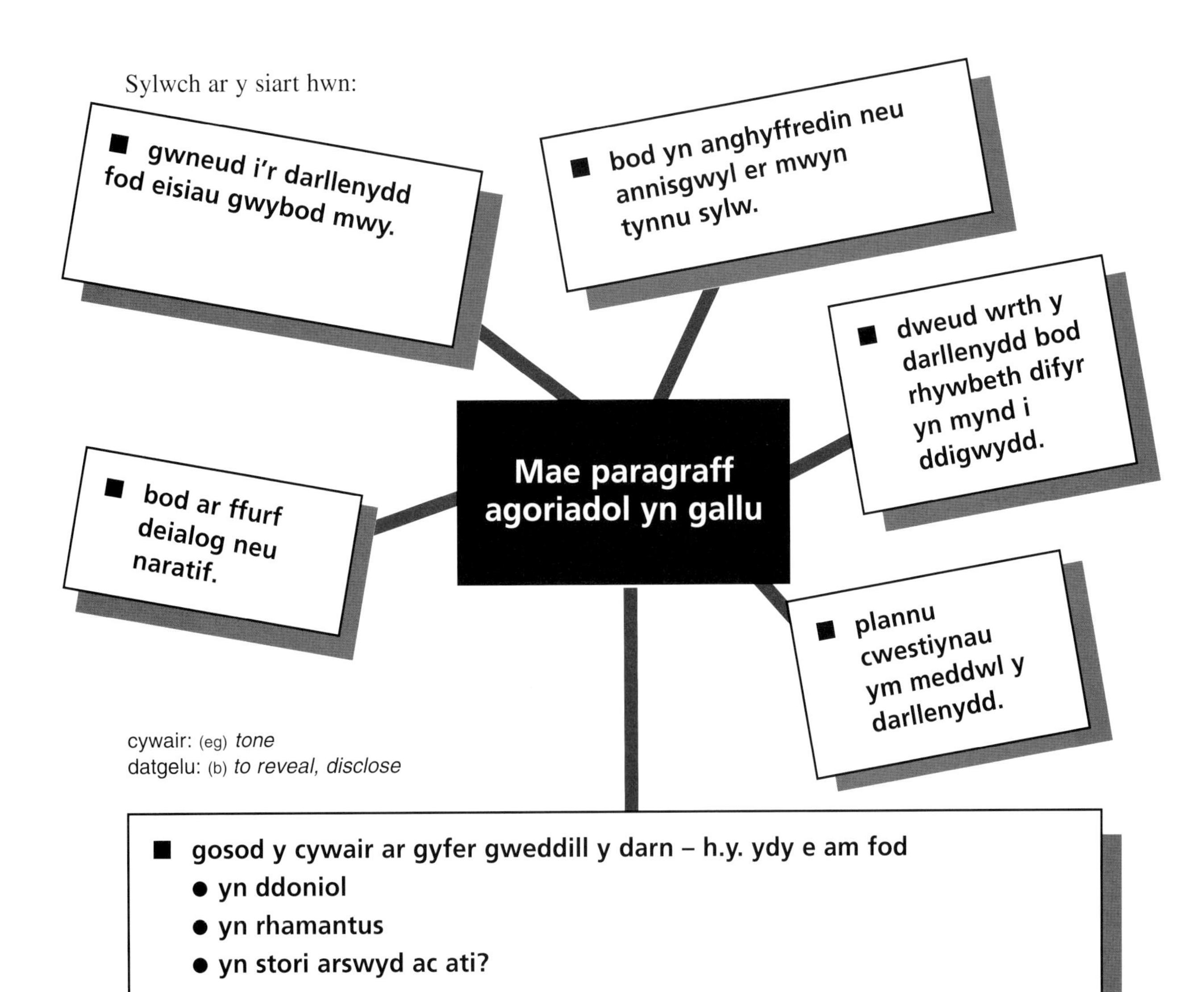

cywair: (eg) *tone*
datgelu: (b) *to reveal, disclose*

- **gosod y cywair ar gyfer gweddill y darn – h.y. ydy e am fod**
  - **yn ddoniol**
  - **yn rhamantus**
  - **yn stori arswyd ac ati?**

- **Ddylai'r awdur ddim datgelu gormod yn ei baragraff cyntaf**
- **Dylai awdur gyflwyno ei gymeriadau yn fuan ar ddechrau stori.**

Dyma ffeithiau moel stori wir. Darllenwch nhw:

- Ar 24 Mehefin 1787 priododd Ellen Cadwaladr, neu Neli, Braichtalog â Huw Prichard o Gaernarfon yn Eglwys Llandygái.

- Braichtalog oedd eu cartref wedyn a Huw yn hel cocos a'u gwerthu ym Mangor a Dyffryn Ogwen. Roedd Neli yn canu'r delyn yn yr eglwysi ac mewn nosweithiau llawen.

- Yna aeth Huw i'r Aifft i ymladd yn erbyn Napoleon. Daeth yn ôl o'r rhyfel yn ddall.

dall: (a) *blind*

- Aeth Huw a Neli i grwydro'r wlad gyda ffidil a thelyn.

- Adeg y Nadolig 1815 roedden nhw yn Iwerddon ac erbyn hynny roedd ganddyn nhw bump o blant.

- Ym mis Ebrill 1816 aeth y teulu i'r Alban. Roedd dyn o'r enw Joseph Train wedi gweld y teulu ar 20 Ebrill. Mewn llythyr at Syr Walter Scott soniodd am y telynor dall, ei wraig yn ei dywys, y plant yn dilyn a mul yn tynnu trol. Roedd Huw wedi dechrau canu'r delyn a daeth y gweithwyr o'r caeau a phobl o'r pentref i wrando. Roedd un o'r plant yn canu'r ffidil a rhai eraill o'r teulu a'r bobl leol yn dawnsio.

tywys: (b) *to lead*
mul: (eg) *donkey*

- Y noson wedyn fe aethon nhw i chwilio am loches mewn pwll gro. Cafodd y mul fynd i bori ar fryn oedd yn ymyl ac wedi cynnau tân a chael swper aeth y teulu i gysgu. Yn ystod y nos disgynnodd gro a thywod ar eu pennau a'u claddu.

lloches: (eb) *shelter*
pwll gro: *gravel pit*
pori: (b) *to graze*
claddu: (b) *to bury*

- Bore trannoeth fe glywodd bobl sŵn y mul yn brefu. Wedi mynd yno, roedden nhw'n gweld y mul yn cerdded yn ôl ac ymlaen uwchben y pwll ac ar waelod y pwll roedd y drol a'r delyn. Wrth gloddio fe ddaethon nhw o hyd i'r cyrff.

brefu: (b) *to bray*
cloddio: (b) *to dig*

● *Harper's Hole* oedd enw'r lle i bawb yn yr ardal wedi hynny ac roedd llawer o bobl yn dweud eu bod yn clywed miwsig telyn yno wedi iddi nosi ac iddyn nhw weld ysbryd y telynor yn codi o'r pwll.

dieithriaid: (ell) *strangers*

● Wedi gwerthu'r mul i gael arian, claddodd y ficer y teulu yng nghornel y dieithriaid ym mynwent y plwyf.

cofeb: (eb) *memorial*

● Yn 1871 codwyd carreg ar y bedd a chleddyf a thelyn wedi eu cerfio arni a'r geiriau, "Er cof am filwr Cymreig, a'i wraig, telynores" ond cofeb ddienw oedd hi.

● Yn 1946 codwyd carreg arall wrth droed y bedd â'r geiriau "The Nameless Minstrel was the original of 'Wandering Willie' in Sir Walter Scott's story '*Redgauntlet*'. Eto, doedd enw'r telynor ddim ar y garreg fedd.

Ymarfer 2.2

1. Mae'r ffeithiau'n dilyn trefn amser (gw. td. 29). Penderfynwch ar
   a) y dilyniant fyddech chi'n ei ddewis i'r stori hon. Efallai eich bod eisiau defnyddio ôl-fflachiadau?
   b) o safbwynt pwy ydych chi eisiau dweud y stori?
   c) efallai yr hoffech ei hysgrifennu fel stori ysbryd – oedd ysbryd y telynor yn crwydro achos ei fod eisiau cael ei enw ar y garreg fedd?
2. Ysgrifennwch eich cynllun ar ffurf nodiadau (gw. tud. 18-22).
3. Ysgrifennwch baragraff cyntaf trawiadol i'r stori.
4. Dewiswch unrhyw sgerbwd stori rydych chi wedi ei wneud yn barod ac ysgrifennwch baragraff agoriadol trawiadol i'r stori honno.

trawiadol: (a) *striking*

b) Creu cymeriadau

> "Pethau o fyd natur sy'n fy symbylu i farddoni. Ond os wyf am siarad am bobl – yna rhyddiaith amdani."
>
> Y Prifardd Einir Jones.

Os ydyn ni am ysgrifennu rhyddiaith, mae'n rhaid i ni sôn am bobl. Dychmygwch nofel neu stori fer heb gymeriadau!

Dyma i chi ddau ddarn darllen sy'n disgrifio pobl:

A

Non ydw i. Non Gratis. A persona non gratis maen nhw'n galw fy ffrindiau. . . .

Mae'r rhan fwyaf ohonyn nhw yn yr un cwch â fi. Teuluoedd un rhiant, yma ar y stad, i lawr yn y ddinas. I lawr yn nociau Caerdydd.

"Rydw i'n ddu, rydw i'n fawr ac rydw i'n brydferth," meddai Karanga i lawr yng nghaffi Conti.

"Wel, rwyt ti'n ddu ac yn fawr ta beth," meddwn i. (Er cofiwch, mae llawer o'r merched eraill yn meddwl ei fod e'n *cool*.)

Mae Joe 90 yn fach, mae e'n hyll ac mae e'n dwp. Mae e wedi siafio'i wallt mor agos at ei ben nes bod pob lwmpyn ar ei benglog yn y golwg.

"Lympia?" meddai Joe. "Amynedd fi ydy hwnna!"

"Ymennydd!" meddwn i.

penglog: (eb) *skull*

amynedd: (eg) *patience*

ymennydd: (eg) *brain*

dweud celwydd: *telling lies*

"Dyna beth wedes i!" meddai Joe.

Mae Joe yn byw mewn byd o ffantasi. Mae e'n dweud celwydd trwy'r amser. Mae Rocco, aelod olaf y gang, yn meddwl ei fod e'n rhywun. Pen mawr (a phen bach yr un pryd!). Jest achos bod busnes gyda'i rieni. Jest achos taw nhw sy'n berchen caffi Conti. Jest achos ei fod e'n cael bob dim ganddyn nhw.

"Ble cest ti'r *trainers* 'na?" meddai Rocco pan es i i mewn i'r caffi. "Oxfam?"

"Ble cest ti'r wyneb 'na?" meddwn i. "Sŵ Bryste?"

"Ble oedddet ti wythnos diwetha?" meddwn i wrth Joe 90. "Doeddet ti ddim yn yr ysgol."

"Es i ar fy ngwyliau," meddai Joe.

"I ble?"

"Sbaen."

"Pa ran o Sbaen?"

"Dydw i ddim yn siŵr. Bwlgaria dw i'n meddwl."

Chwarddodd pawb ac aeth Joe'n wyllt. Gafaelodd yn y bêl-droed a'i thaflu hi aton ni.

"Mama mia!" meddai Conti. "Mas i chware pêl-a Lanfranco!"

Mae pawb yn y gang bron â marw pan mae Conti yn galw Rocco'n Lanfranco. Ond mae arno ofn ei dad. Mae hynny'n fwy na allwch chi ei ddweud am Karanga.

O 'Sêr y Dociau Newydd'
gan Dafydd Huws

ceiniog a dimai: *penny halfpenny i.e. cheap*
yr un ffunud: *spitting image*

aruthrol: (a) *huge*
cadfridog: (eg) *general*
segur: (a) *spare*
syllu: (b) *to stare*
prancio: (b) *to prance*

chwyslyd: (a) *sweaty*
chwilota: (b) *to search*

B

Dim ond i'w wyneb y byddem yn ei alw'n Mister Charles. General deGaulle oedd ein henw ni arno, gan ei fod yn ei ddisgrifio'i hun fel General Manager ei Garlton Restaurant ceiniog a dimai a chan fod ei drwyn yr un ffunud ag un deGaulle.

Ond y cwestiwn yr oedd Valmai a minnau'n ei ofyn oedd hwn: a oedd y deGaulle go-iawn mor hoff o bigo'i drwyn aruthrol ag yr oedd ein hannwyl gadfridog ni? Unrhyw funud segur, pan fyddai'n darllen ei *Liverpool Post*, pan fyddai'n syllu'n freuddwydiol drwy ffenest y caffi ar ferched hirgoes mewn trowsusau byr yn prancio ar y Prom, pan fyddai'n syllu'n fwy breuddwydiol fyth ar Valmai a minnau yn ein hoferôls mini yn plygu dros y byrddau, byddai'n codi bys chwyslyd at ei drwyn ac yn chwilota ynddo'n hamddenol. Os deuai o hyd i rywbeth diddorol, byddai'n ei dynnu allan yn ofalus, yn ei astudio'n fanwl ac yna'n ei rowlio rownd a rownd rhwng ei fys a'i fawd cyn rhoi fflic tidli-wincsaidd iddo drwy'r awyr.

O *'Tridiau ac Angladd Cocrotshen'*
gan Manon Rhys

Mae sawl ffordd wahanol o gyfleu gwybodaeth am gymeriad, e.e.

cyfleu: (b) *to convey*
nodweddion: (ell)
characteristics
gwgu: (a) *to frown, to scowl*
arferion: (ell) *habits*
sefyllfa, –oedd: (eb)
situation,-s

Ymarfer 2.3

Beth ydych chi wedi ei ddysgu am y cymeriadau yn y ddau ddarn darllen?

- Ydy'r awduron yn defnyddio rhai o'r dulliau sydd yn y siart?
- Ydyn nhw'n llwyddo i wneud i'r cymeriadau ddod yn fyw?

Dau beth i'w cofio am gymeriadau

1. Dylai cymeriadau mewn stori / nofel / drama ac ati fod
   - yn fyw ac yn gredadwy
   - siarad mewn ffordd naturiol.
2. Does dim rhaid i chi hoffi pob cymeriad y byddwch chi'n ei greu, ond ceisiwch ddeall a chydymdeimlo â phob un. Cofiwch mai cymysgedd o ddrwg a da ydy pob un ohonom, ac i greu cymeriad crwn mae gofyn i chi ddangos ei ddwy ochr.

credadwy: (a) *credible*

cydymdeimlo: (b) *to sympathise*

cymysgedd: (eb) *mixture*

c) Ysgrifennu deialog

Dydyn ni i gyd ddim yn siarad yn union yr un fath. Gwrandewch yn ofalus ar bobl o'ch cwmpas yn siarad.

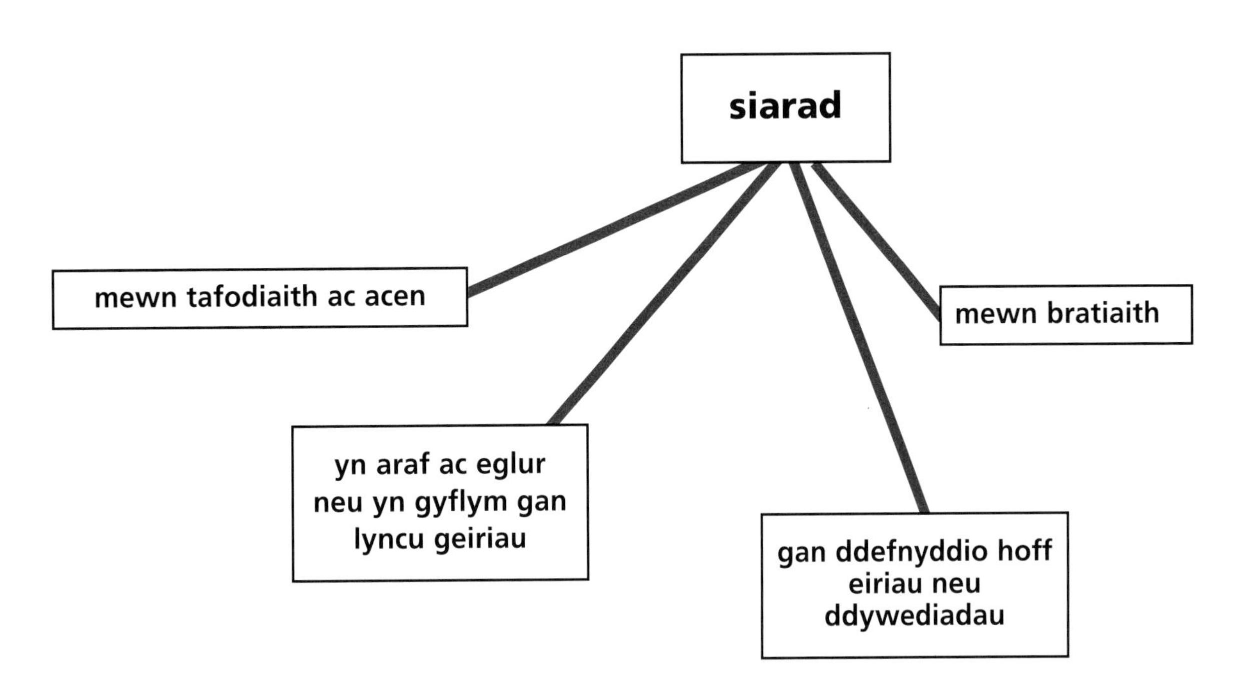

tafodiaith, tafodieithoedd: (cb) *dialect,-s*

acen,-ion: (eb) *accent,-s*

bratiaith: (eb) *slang*

dywediad, -au; (eg) *saying,-s*

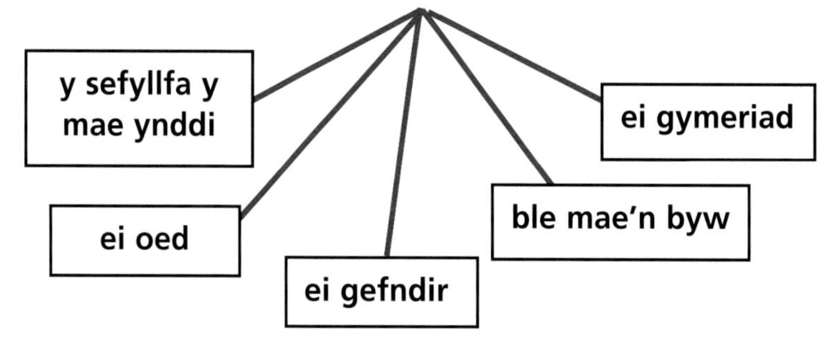

Rhai pethau i'w cofio wrth ysgrifennu deialog

Gadewch i ni edrych eto ar ddeialog o'r stori fer 'Anrheg Nadolig':

> "Nadolig llawen iawn i ti Elin, a dyma i ti bresant bach oddi wrtha i."
> "O, does dim isio i ti," meddai Elin.
> "Oes, 'Tad. Rwbath bach ydy o."
> "Wel, diolch yn fawr iawn iti, Dora."

Beth pe byddai'r darn yma wedi ei ysgrifennu fel hyn:

> "Nadolig llawen iawn i ti Elin, a dyma i ti bresant bach oddi wrtha i," meddai Dora.
> "O, does dim isio i ti," meddai Elin.
> "Oes, 'Tad. Rwbath bach ydy o," meddai Dora.
> "Wel, diolch yn fawr iawn i ti, Dora," meddai Elin.

Ydych chi'n cytuno nad oes angen 'meddai Dora' ac 'meddai Elin' bob tro, ac eu bod yn ddiflas i'w darllen?

dyfynodau: (ell) *quotation marks*

Er bod rhaid rhoi dyfynodau ar ddechrau ac ar ddiwedd beth bynnag y mae cymeriad yn ei ddweud, does dim rhaid ei ddilyn â 'meddai + enw' bob amser. Mae'n well hebddyn nhw os ydy hi'n glir pwy sy'n siarad.

Er mwyn dweud **sut** y mae'r cymeriad yn dweud rhywbeth mae angen

'meddai + enw + adferf' e.e.

rhag dy gywilydd di: *shame on you*

"Rhag dy gywilydd di!" meddai Non **yn chwareus**.

"Rhag dy gywilydd di!" meddai Non **yn ddig**.

Wrth gwrs, mae llawer o ferfau sy'n dweud **sut** mae rhywun yn dweud rhywbeth heb fod angen adferf: berfau fel gweiddi, sibrwd, sgrechian, ac ati.
Sylwch arnyn nhw'n gweithio yn y darn bach hwn:

> Cynted ag yr oedd Helen wedi camu i mewn i'r tŷ, daeth ei thad i'w chyfarfod o'r gegin. Roedd storm llond ei wyneb.
> "Lle wyt ti wedi bod?" taranodd.
> "Allan," sibrydodd Helen yn ôl.
> "Allan? Yr adeg yma o'r nos? Efo pwy oeddat ti? Y?"
> "Efo . . . Arwel," gwichiodd Helen.
> Tynnodd ei thad ei felt. Roedd ei lygaid yn melltio.
> "Sawl gwaith sydd raid i mi ddeud wrthat ti am beidio gweld yr hogyn 'na?" gwaeddodd, a chodi ei fraich.
> "Na Dad! Peidiwch! Plîs peidiwch!" sgrechiodd Helen.

gwichian: (b) *to squeak, to screech*

Mae'r berfau yma yn dweud wrthyn ni

- pwy sy'n siarad
- sut maen nhw'n siarad
- beth ydy'r berthynas rhyngddyn nhw.

amrywiaeth: (eg) *variety*
ailadroddus: (a) *repetitive*

Hefyd mae'r berfau yn rhoi amrywiaeth i'r darn. Byddai dweud 'meddai' yn lle pob un o'r berfau hyn yn ailadroddus, ac felly yn ddiflas.

Mae angen deialog bob hyn a hyn mewn stori, er mwyn

- torri ar y naratif
- creu amrywiaeth
- Fe ddylai deialog fod **i bwrpas** mewn unrhyw fath o ysgrifennu – dychmygus neu ffeithiol. Mewn stori fer neu nofel, er enghraifft, dylai wneud un o ddau beth:

  (i) rhoi gwybodaeth am y cymeriad sy'n siarad

  (ii) datblygu'r stori, a'i chario yn ei blaen.

Wrth gwrs, mae'n bosibl gwneud y ddau beth mewn un darn o ddeialog.

ystwyth: (a) *not stilted*

- Fe ddylai deialog hefyd fod yn naturiol ac yn ystwyth. Mae'n bwysig bod cymeriadau yn siarad fel pobl go iawn: fel arall fyddan nhw ddim yn gredadwy i'r darllenydd.

Rydych chi'n gallu gwneud dau beth er mwyn dysgu sut i ysgrifennu deialog effeithiol:

(i) darllen gwaith awduron da

(ii) gwrando'n ofalus ar bobl o'ch cwmpas yn siarad a sylwi ar

- beth maen nhw'n ei ddweud
- sut maen nhw'n ei ddweud

arferion: (ell) *habits*

llysenw: (eg) *nickname*

yn gyfarwydd â: *familiar with*

Wrth wrando'n astud, byddwch yn gweld bod arferion siarad pawb yn wahanol.

Ym Mhen Llŷn, er enghraifft, roedd un wraig yn dweud 'mach i' drwy'r amser. Fel hyn roedd hi'n siarad:

"Helo, mach i. Sut dach chi, mach i? O, mae'n oer, mach i."

Efallai na fyddwch yn synnu deall mai 'Mach i' oedd ei llysenw!

Roedd ei gŵr hi wedyn yn galw pob merch yn 'blodyn'.

Mae gennym ni i gyd eiriau ac ymadroddion y byddwn ni'n eu dweud yn aml, a rhai na fyddwn ni byth yn eu dweud.

Ymarfer 2.4

Meddyliwch am chwech o bobl y mae aelodau eraill y dosbarth yn gyfarwydd â nhw.

- Beth ydy eu hoff eiriau neu eu hoff ddywediadau?

Dywedwch nhw.

- Ydy'r dosbarth yn gwybod pwy ydy'r person?

COFIWCH: Mae'r geiriau a'r ymadroddion yna yn bwysig pan fyddwch chi'n ysgrifennu deialog.

yn flêr: *untidily*

geiriau llanw: *meaningless words*

tacluso: (b) *to tidy up*

cryno: (a) *concise*

Rydyn ni wedi sôn ei bod yn bwysig i gymeriadau siarad fel pobl go iawn, ond dydyn ni ddim yn gallu gadael iddyn nhw siarad yn union fel pobl go iawn chwaith. Mae pobl go iawn:

- yn siarad yn flêr yn aml
- yn crwydro wrth ddweud stori
- yn ailadrodd eu hunain
- yn dweud llawer o eiriau llanw – pethau fel 'ym . . . y . . . ym', ac ati.

Pe bai'r cymeriadau mewn nofel neu ddrama yn siarad fel hyn, byddai'n ddiflas iawn i'r darllenwyr neu'r gynulleidfa!

Felly, pan fyddwch chi'n ysgrifennu deialog mae'n rhaid

- tacluso'r ffordd mae pobl yn siarad
- cael gwared â geiriau llanw
- bod yn gryno
- gwneud yn siŵr bod yna rhythm naturiol a bod y darn yn ystwyth

Dylai deialog dda fod yn hawdd ei darllen a'i dweud.

dadansoddi: (b) *to analyse*

cyfrwys: (a) *crafty*

rhegi: (b) *to swear*

rheol aur: *golden rule*

yn gynnil: (adf) *sparingly*

ergyd: (eb) *point, punchline*

gwylltio: (b) *to become angry*

Ymarfer 2.5

Ysgrifennwch ddeialog rhwng pwdl a llwynog.

- Gwnewch dabl i ddadansoddi cymeriad y ddau.

CYMERIAD	PWDL	LLWYNOG
PRIF NODWEDDION	snobyddlyd	cyfrwys
'TI' neu 'CHI'	chi	ti
RHEGI	✗	✓
HOFF EIRIAU A/NEU YMADRODDION		
?		
?		

Rydych chi'n gweld bod y llwynog yn rhegi.
Y rheol aur ynglŷn â chynnwys rheg mewn deialog ydy ei defnyddio'n gynnil ac i bwrpas. Os ydy'ch cymeriadau chi'n rhegi bob munud, rydych chi'n colli'r ergyd.
Sylwch ar yr enghraifft yn y stori fer 'Anrheg Nadolig'.
* Ar dudalen 17 mae Elin yn dweud . . .

"Dyna ydyn nhw hefyd. Fy mlydi bath ciwbs fi fy hun wedi dwad yn ôl!"

Pe bai Elin wedi rhegi sawl gwaith o'r blaen yn y stori, fyddai'r rheg yma ddim yn golygu llawer. Ond dydy hi ddim wedi rhegi o'r blaen o gwbl. Felly, mae ei chael hi i ddweud "Fy mlydi bath ciwbs' yma yn ffordd o ddangos cymaint y mae hi wedi gwylltio.

- Meddyliwch am ddau bwynt arall i'w rhoi dan y pennawd CYMERIAD.

Ar ôl llenwi'r tabl, fe ddylech fod â syniad clir yn eich meddwl o sut un ydy'r pwdl a sut un ydy'r llwynog.

Mae'r ddeialog rhwng y pwdl a'r llwynog wedi cael ei dechrau i chi yma. Gyda phartner, un yn cymryd rhan y llwynog a'r llall y pwdl, gorffennwch hi.

PWDL: Hei! Be ydach chi'n 'neud fan 'na?

LLWYNOG: Cau dy geg y pansi neu mi daga' i di hefo'r rhuban coch 'na!

PWDL: Ylwch chi, mae Mr a Mrs Price yn meddwl y byd o'r ieir 'na. Rŵan, gadwch lonydd iddyn nhw!

LLWYNOG: Yli, dw i wedi deud wrthat ti. Cau hi neu mi wasga i di!

'Deialog Rhwng Pwdl a Llwynog' gan Margiad Roberts, o'r llyfr *Dyn ac Anifail,* cyfres Ehangu Gorwelion

Ymarfer 2.6

1. Edrychwch ar olygfa o unrhyw ddrama ar fideo.
2. Gwnewch dabl i ddadansoddi'r ddau brif gymeriad.

Gan eich bod wedi eu gweld ar y teledu rydych chi'n gallu sôn am wisg ac osgo.

osgo: (eg) *stance*

3. Dychmygwch y tro nesaf y bydd y ddau'n cyfarfod

- Sut maen nhw'n mynd i ymddwyn tuag at ei gilydd yn dilyn yr hyn ddigwyddodd yn yr olygfa ar y fideo?

ymddwyn: (b) *to behave*

4. Ysgrifennwch ddeialog rhwng y ddau.

Ymarfer 2.7

Ar ganol tudalen lân ysgrifennwch:

Ers pryd mae hyn wedi bod yn mynd ymlaen?

Penderfynwch pwy ydy Partner A a phwy ydy Partner B. Yna, bydd Partner A yn ysgrifennu llinell o ddeialog uwchben y llinell hon.

Bydd partner B yn ysgrifennu llinell arall, uwchben honno, ac felly ymlaen nes cyrraedd pen uchaf y dudalen.

gwreiddiol: (a) *original*

Yna, ewch yn ôl at y llinell wreiddiol a gweithiwch i lawr o'r canol hyd at waelod y dudalen, gydag A a B yn ysgrifennu llinellau bob yn ail, fel o'r blaen.

COFIWCH – does dim ffordd gywir nac anghywir o wneud hyn. Chi sydd i benderfynu i ba gyfeiriad mae'r ddeialog i fynd. Defnyddiwch eich dychymyg!

Ar ddiwedd ymarferion 2.5, 2.6 a 2.7 darllenwch eich deialogau yn uchel gyda'ch partner. Ailddrafftiwch nes eich bod yn hapus eu bod yn darllen yn ystwyth.

ch) Mynegi yn gynnil, gryno

Un diwrnod, fe ysgrifennodd y Ffrancwr, Pascal, lythyr hir iawn at ei ffrind. Yna, ar y gwaelod, ychwanegodd:

Esgusoda fi am sgrifennu llythyr mor hir. Doedd gen i ddim amser i sgrifennu un byr.

Ar yr olwg gyntaf, dydy hyn ddim yn gwneud llawer o synnwyr! Ond o feddwl drosto'n ofalus, roedd Pascal yn llygad ei le. Mae hi'n llawer haws dweud rhywbeth yn hirwyntog na dweud yr un peth yn union yn gynnil, yn gryno ac yn dwt. Er mwyn sgrifennu'n dda mae'n rhaid dysgu bod yn gryno.

llygad ei le: *perfectly correct*
hirwyntog: (a) *long-winded*

Dyma'r camau:

1. cynllunio'r stori
2. ysgrifennu'r stori yn fras o'r dechrau i'r diwedd
3. naddu

naddu: (b) *to carve, to chip*

Bydd y drafftiau yn mynd yn fyrrach bob tro.

Mae'r broses yn un debyg i gerflunydd yn naddu cerflun allan o ddarn mawr, di-siâp o garreg.

cerflunydd: (eg) *sculptor*
cerflun: (eg) *sculpture*

Ymarfer 2.8

- Edrychwch ar ddarn o waith rydych chi wedi ei ysgrifennu. Darllenwch ef yn ofalus gan ofyn i chi'ch hun:

Oes rhaid cael pob paragraff/brawddeg/ymadrodd/gair? Os nad oes eu hangen i gyd, dewiswch y rhai gorau a dileu'r lleill.

dileu: (b) *to delete*

bwlch: (eg) *gap*
asio: (b) *to join*
cyfuno: (b) *to join, to weld together*

Os ydych chi wedi cael gwared â pharagraff / brawddeg / ymadrodd / gofalwch fod y bwlch wedi'i gau yn dwt. Mae'n rhaid asio'n daclus. Yn aml, mae hyn yn golygu cyfuno dwy frawddeg e.e.

> Roedd gen i hiraeth mawr ar ôl gadael cartref i fynd i'r coleg. Cofiaf fod gen i galendr ar y bwrdd bach wrth y gwely a bob noson, cyn mynd i gysgu, byddwn yn rhoi llinell drwy'r diwrnod oedd newydd ddod i ben. Yna byddwn yn cyfri faint o ddiwrnodau oedd ar ôl hyd at (5) ddiwedd y tymor. Gyda phob diwrnod oedd yn mynd heibio, roeddwn i'n teimlo ychydig yn well. Fedrwn i ddim aros am gael mynd adref. Roeddwn i'n edrych ymlaen gymaint am gael bwyta cacennau Mam unwaith eto ac am gael gweld fy mrawd bach. Rhyfedd! Cyn i mi adael fy (10) nghartref, roeddwn yn dyheu am gael mynd i ffwrdd ac roedd fy mrawd bach yn mynd ar fy nerfau drwy'r amser.

dyheu: (b) *to long for*

Ydych chi'n cytuno nad oes angen y frawddeg:

> Fedrwn i ddim aros am gael mynd adref

Mae hyn wedi cael ei ddweud yn barod, mewn geiriau eraill. Eto, mae 'Fedrwn i ddim aros' yn gryfach na 'Roeddwn i'n edrych ymlaen', felly beth am gyfuno'r ddwy frawddeg fel hyn:

> Fedrwn i ddim aros am gael bwyta cacennau Mam unwaith eto nac am gael gweld fy mrawd bach.

Fedrwn ni gael gwared â rhagor o'r darn yma heb golli unrhyw beth o werth?

Beth am y frawddeg sy'n dechrau ar linell 6:

'Gyda phob diwrnod . . .'

- Oes angen hon?
- Ydy hyn yn amlwg p'run bynnag wrth ddarllen gweddill y darn?

Darllenwch y darn heb y frawddeg yma.
Wedyn, beth am ail-ysgrifennu'r gweddill fel hyn:

hyd yn oed: *even*

> Fedrwn i ddim aros am gael bwyta cacennau Mam unwaith eto na hyd yn oed am gael gweld fy mrawd bach! Rhyfedd. Cyn i mi adael fy nghartref, roeddwn yn dyheu am gael mynd i ffwrdd!

ebychnod: (eg) *exclamation mark*

Gwell? Gwaeth? Pam? Sylwch ar y frawddeg newydd: Mae 'hyd yn oed' a'r ebychnod ar y diwedd yn awgrymu nad oedd yr awdur a'i frawd bach yn dod ymlaen yn rhy dda cynt. Felly does dim angen 'ac roedd fy mrawd bach yn mynd ar fy nerfau drwy'r amser' ar y diwedd. Mae 'hyd yn oed' + '!' yn ffordd fwy cynnil o ddweud yr un peth.

cyfleoedd: (ell) *opportunities*

Chwiliwch am gyfleoedd i fod yn gynnil wrth ysgrifennu. Mae'n fwy effeithiol, achos, yn aml, mae'n bosibl dweud mwy trwy ddweud llai!

Ar ôl i chi naddu eich gwaith i'r pen, darllenwch drwyddo eto. Fe ddylai ddarllen yn fwy rhwydd.

cyffelybiaeth, -au: (eb) *simile, -s*
trosiad, -au: (eg) *metaphor, -s*

Weithiau byddwn yn teimlo'n falch iawn o rywbeth rydyn ni wedi ei ysgrifennu. Ond wrth edrych dros ein gwaith ar y diwedd efallai y byddwn yn gweld

- nad oes ei angen
- nad ydy e ddim yn berthnasol.

Y peth gorau i'w wneud ydy cael ei wared.

Ond peidiwch â phoeni! Mae'n syniad da cadw hoff ymadroddion / cyffelybiaethau / trosiadau ac ati sydd heb eu defnyddio mewn llyfryn bach. Felly bydd gennych stoc parod o ddeunydd ar gyfer y dyfodol.

[Mae sôn am fynegi'n gynnil, gryno ac ymarferion yn Sgriptio (tt.76-84) a Stori Newyddiadurol (tt. 121-132)]

d) Dangos nid dweud

Mae'n bwysig i unrhyw un sy'n mynd ati i ysgrifennu ddysgu **dangos** yn hytrach na **dweud**. Dyma esiampl:

yn hytrach na: *rather than*

1

Yr oedd yr hen dŷ wedi mynd â'i ben iddo.

wedi mynd â'i ben iddo: *has become derelict*

2

Agorais y drws. Y tu mewn i'r tŷ roedd aroglau llwydni a thamprwydd. Sylwais fod carped y cyntedd wedi colli'i liw a bod haen drwchus o lwch dros bob man. Yn y corneli roedd pryfed cop wedi bod yn brysur yn gweu eu gwe. Gwichiodd y llawr pren dan fy nhraed wrth i mi gerdded am y gegin.

llwydni: (eg) *mould, mildew*
haen: (eb) *layer*
pryfed cop: (ell) *spiders*
gweu: (b) *to weave*
gwe: (eg) *web*

Mae'r ddau ddarn yma yn rhoi'r un wybodaeth i'r darllenydd.

- Mae darn 1 yn **dweud** wrtho beth ydy cyflwr yr hen dŷ.
- Mae darn 2 yn **dangos** hynny.

cyflwr: (eg) *condition*

Mae'r ail ddarn yn defnyddio mwy o eiriau na'r darn cyntaf, ond mae'n gwneud yr hen dŷ yn fwy byw i'r darllenydd.

Does dim o'i le ar y darn cyntaf. Weithiau, mae angen i ni ddweud pethau, yn hytrach na'u dangos, er mwyn bod yn gryno. Ond os ydyn ni'n gallu dangos, yn lle dweud, mae'n well gwneud hynny.

Mae'r cyngor 'dangos nid dweud' yn berthnasol iawn pan fyddwch chi'n ceisio disgrifio personoliaeth cymeriad. Mae'n llawer mwy effeithiol na dweud sut berson ydy e / hi. Felly, fe ddylech gael y cymeriad i wneud rhywbeth, e.e. yn lle ysgrifennu:

cybyddlyd: (a) *mean*

> Roedd Alun yn gybyddlyd

gallech ysgrifennu:

> Roedd Alun yn mynd i'r tŷ bach bob tro roedd hi'n amser prynu rownd.

Mae 'dangos nid dweud' yr un mor wir am ysgrifennu disgrifiadol hefyd.

Mae darllenwyr heddiw wedi arfer gwylio'r teledu a ffilmiau. Dydyn nhw ddim eisiau darllen disgrifiadau hir. Felly mae'n rhaid i'r ysgrifennwr modern geisio gwneud ei waith yn fyw i'r darllenydd a gofalu bod digon o bethau yn digwydd ynddo. Fel rheol, mae ansoddeiriau ac adferfau yn dweud, ac enwau a berfau yn dangos. Er enghraifft,

> Roedd Alis yn ferch **dal** iawn.

gwyro: (b) *to bend, to stoop*

> **Gwyrodd** Alis wrth ddod i mewn trwy'r drws.

llwytho: (b) *to load*

Mae'n well peidio â llwytho eich gwaith gyda gormod o ansoddeiriau ac adferfau. Ceisiwch ddewis yr union enw neu ferf i ddod â'ch gwaith yn fyw.

Ymarfer 2.9

Bydd eich tiwtor yn rhoi brawddeg wahanol i bawb sydd yn y dosbarth. e.e.

Roedd Ceri yn ferch swil.

Peidiwch â'i dangos i neb arall.

Ysgrifennwch baragraff neu ddau yn dangos yr hyn mae eich brawddeg yn ei ddweud.

Peidiwch â defnyddio'r ansoddair sydd yn eich brawddeg, h.y. gyda'r enghraifft, peidiwch â defnyddio'r gair 'swil'. Gallech ddangos Ceri yn mynd i gyfarfod ac

- yn eistedd yn y cefn
- yn cadw'n dawel pan mae pawb arall yn trafod
- yn cadw ei llygaid ar y llawr
- yn cochi at ei chlustiau pan mae rhywun yn gofyn iddi beth ydy ei barn hi, ac yn mwmblian dau air o ateb.

Yna dylai:

- pawb yn ei dro ddarllen ei waith i weddill y dosbarth
- pawb arall geisio dyfalu beth oedd y gair ar y papur.

Os ydyn nhw'n dweud gair arall tebyg ei ystyr, e.e. 'di-hyder' yn lle 'swil', mae hynny hefyd yn dangos eich bod wedi llwyddo i gyfleu cymeriad Ceri. Ond mynnwch gael yr union air cyn symud ymlaen at y person nesaf.

dyfalu: (b) *to guess*

di-hyder: (a) *without confidence*

dd) Cloi'n effeithiol

Ydych chi wedi darllen nofel, stori fer ac ati dda a oedd yn gorffen yn siomedig am fod ei diweddglo'n wan?

Dylai unrhyw ddarn o ysgrifennu – dychmygus neu ffeithiol – adael y darllenydd yn teimlo'n fodlon ar y diwedd.

bodlon: (a) *satisfied*

Dylai naill ai

- glymu'r holl linynnau oedd wedi eu trafod yn dwt

llinynnau: (ell) *strings, threads*

neu, o leiaf,

- roi syniad i'r darllenydd sut y mae pethau am fod.

Wrth ystyried diweddglo nofel, stori fer, drama, ysgrif, ymson ac ati mae rhaid penderfynu:

- pryd i orffen
- sut i orffen

Pryd?

Rhaid peidio â:

- gorffen yn rhy fuan, cyn adeiladu a datblygu digon arni
- gadael iddi lusgo ymlaen ar ôl cyrraedd ei huchafbwynt.

llusgo: (b) *to drag*

Bydd 'nod' eich gwaith yn eich atgoffa am beth yn union mae'r stori'n sôn. Dywedwch hyn yn llawn. Yna dewch â hi i ben. Mae'r stori'n gorffen ar ôl iddi gael ei dweud.

atgoffa: (b) *to remind*

Efallai eich bod yn ysgrifennu drama deledu am gariadon sy'n cael problemau gyda'u perthynas. Os ydych chi am roi diwedd hapus i'r ddrama, y lle gorau i'w gorffen fyddai fel y maen nhw ar fin cymodi. Does dim rhaid mynd ymhellach na hynny – dangos y briodas ac ati. Os ydych chi eisiau egluro unrhyw beth ar ôl i chi gyrraedd yr uchafbwynt, cadwch hyn yn fyr.

perthynas: (eb) *relationship*

ar fin: *about to*
cymodi: (b) *to be reconciled*

Sut?

mewn dryswch: (eg) *confused*

Ddylech chi ddim gadael eich darllenydd mewn dryswch ar y diwedd. Mae'n rhaid iddo ddeall beth, yn ystod cwrs y stori, sy wedi arwain at y diweddglo.

Mae gan bob darn ysgrifenedig ei naws a'i neges a'i arddull ei hun. Felly, wrth gwrs, mae sawl gwahanol fath o ddiweddglo:

- diwedd cylch

Dechrau – Diwedd

- diwedd tro-yn-y-gynffon

camarwain: (b) *to mislead*

Dechrau Tro-yn-y-gynffon **Diwedd**

Camarwain

- diwedd penagored

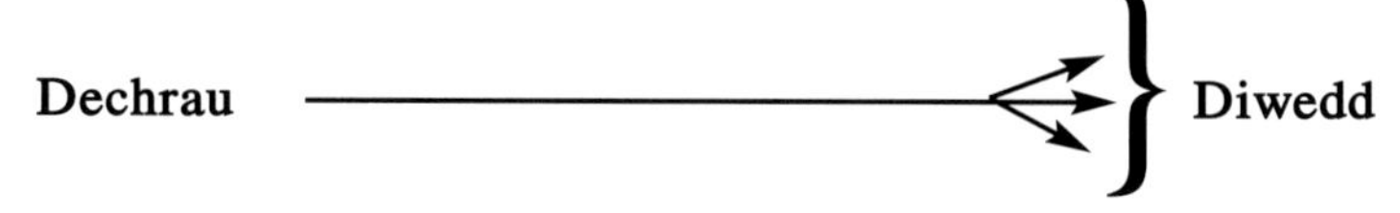

gweddu: (b) *to suit, to fit*

Mae'n rhaid i'r diweddglo fod yn gweddu i'r gwaith.

RHAI FFYRDD O GLOI'N EFFEITHIOL

- taflu goleuni newydd ar rywbeth sydd wedi cael ei drafod.
- cael cymeriad i sylweddoli neu i weld rhywbeth o'r newydd.
- cael awdur/ cymeriad i amau rhywbeth yn hytrach na'i wybod yn bendant.
- ailadrodd un llinell o ddeialog sydd wedi'i dweud yn gynharach yn y stori.
- cael pwt o ddeialog wedi ei gyfuno â natratif e.e. ' "Fe wela i ti eto," meddai, gan wybod yn wahanol.'

amau: (b) *to suspect*

Ymarfer 2.10

1. Edrychwch ar rai o'r storïau rydych chi'n eu hastudio.
2. Trafodwch y paragraff olaf ym mhob stori.
   - Ydy'r stori yn cloi'n effeitiol?
   - Pam?

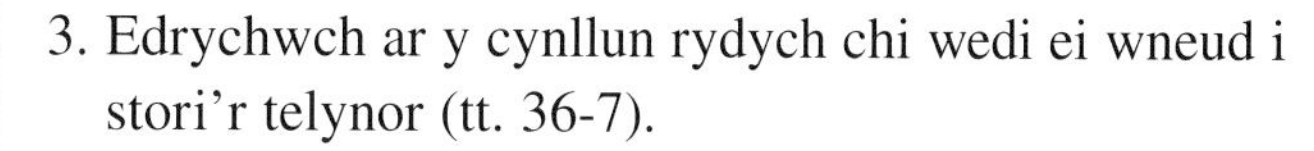

3. Edrychwch ar y cynllun rydych chi wedi ei wneud i stori'r telynor (tt. 36-7).

   Ysgrifennwch baragraff clo i'r stori honno.

3. Arddull

a) Cyffelybiaeth neu Gymhariaeth

cyffelybiaeth: (eb) *simile*

cymhariaeth: (eb) *comparison*

Mewn **cyffelybiaeth** rydyn ni'n dweud bod un peth yn debyg i rywbeth arall, neu bod un peth **fel** rhywbeth arall, e.e.

morlo: (eg) *seal*

> Roedd gan y bachgen wallt du sgleiniog wedi'i gribo'n ôl o'i wyneb a meddyliodd Llinos ei fod yn edrych **fel** morlo ifanc.
>
> Elin ap Hywel

Dyfyniad wedi ei addasu o'r stori 'Cyrraedd Verona', Straeon Siesta, *Tocyn Tramor*.

Ymarfer 3.1

Edrychwch ar y dudalen nesaf. Mae darnau o frawddegau yn y golofn gyntaf – A, B, C ac ati, a darnau eraill yn yr ail golofn – 1, 2, 3 ac ati.

Eich tasg chi ydy rhoi'r darnau at ei gilydd i wneud cyffelybiaethau sy'n gwneud synnwyr.

gwneud synnwyr: *to make sense*

A. Roedd ganddo lais dwfn ac isel	1. fel crocodeil
B. Gorweddodd yr ast yn fflat	2. fel gwaed drwy wythiennau'r corff
C. Tynnodd ei thafod i fyny ac i lawr y siocled	3. fel taran
Ch. Roedd yr afon yn llifo'n dawel, dawel	4. fel dau risial copr sylffad yn ei phen
D. Roedd ei llygaid gleision	5. fel bwnsiad mawr o frocoli
Dd. Ar ôl i'w ffrind farw, roedd ei bywyd yn teimlo'n wag	6. fel brwsh paent llydan
E. Roedd y llinellau ar groen yr hen wraig	7. fel cyllell boced
F. Roedd y briallu coch a gwyn yn glòs yn ei gilydd	8. fel côr ar lwyfan
Ff. O bellter, roedd y coed gwyrdd ar y llethr yn edrych	9. fel stafell ar ôl tynnu addurniadau'r Nadolig
G . Plygodd y dyn yn ei hanner	10. fel streipiau ar wyneb cath frech

B – Margiad Roberts

F – Kate Roberts

G – Eirug Wyn

COFIWCH:

1. Peidiwch â defnyddio gormod o gyffelybiaethau mewn un darn. Mae un gyffelybiaeth gref bob hyn a hyn yn llawer mwy effeithiol.

ar ei gyfyl: (a) *anywhere near it*

Mae Siôn a Siân wedi prynu print o'r un llun ac wedi mynd â nhw adref. Mae Siân yn gosod ei phrint hi ar wal blaen heb unrhyw lun arall ar ei gyfyl.

Mae Siôn hefyd yn gosod ei brint ef ar wal blaen, ond yna mae'n gosod llawer o luniau eraill i fyny o'i gwmpas.

Ydych chi'n cytuno mai yn nhŷ Siân y mae'r print yn cael ei ddangos orau?

gofod: (eg) *space*

Mae'n bwysig i bopeth gael ei ofod ei hun. Mae hynny yr un mor wir am gyffelybiaethau ag am lun ar y wal.

2. Peidiwch â defnyddio cyffelybiaethau sy wedi eu defnyddio gan bobl eraill lawer gwaith o'r blaen, e.e. yn 'las fel y môr' neu yn 'ddu fel y frân'.

Ceisiwch feddwl am gyffelybiaethau sy'n fwy gwreiddiol a ffres.

gwrthrych: (eg) *object*

Ymarfer 3.2

1. Caewch eich llygaid. Bydd eich tiwtor yn rhoi rhyw wrthrych yn nwylo un ohonoch chi.
2. Bydd y person hwnnw yn cael amser i'w deimlo'n ofalus cyn ei basio ymlaen i'r person nesaf. Peidiwch ag edrych ar y 'peth' a pheidiwch chwaith â cheisio dyfalu beth ydy o.
3. Gofynnwch i chi eich hun:
   - i beth mae hwn yn debyg?
   - o beth mae'n f'atgoffa i?
4. Wedi i chi benderfynu, agorwch eich llygaid ac ysgrifennu

'Mae e fel . . .

COFIWCH: mewn cyffelybiaeth rydych yn ceisio cyfleu rhywbeth yr ydych chi wedi ei weld/ clywed/ arogli/ blasu/ teimlo/ profi i rywun arall trwy ddweud ei fod yn debyg i rywbeth maen nhw'n gyfarwydd ag ef yn barod.

6. Cymharwch eich atebion.

brychni haul: (ell) *freckles*
cyffwrdd â : (b) *to touch*
diferion: (ell) *drops*

Dyma ddwy enghraifft o gyffelybiaethau:

> 1. Mae'r smotiau o frychni haul ar drwyn Luned wedi dechrau cyffwrdd â'i gilydd, yn staenio'n frown fel diferion o de ar liain.
>
> O'r stori 'Bybl Gym' yn *Gloynnod* gan Sonia Edwards

brith: (a) *speckled*

A dyma Sonia Edwards yn egluro sut y cafodd hi'r syniad:
'Roedd gen i ffrind eitha tebyg i Luned pan oeddwn i'n blentyn a'i hwyneb hi yn frith o frychni haul a hithau'n ei gasáu gymaint ceisiodd ei sgwrio i ffwrdd!
Yn rhyfedd iawn, nes iddi hi drio gwneud hynny, doeddwn i ddim wedi sylwi rhyw lawer arno. Ond wedyn daeth yn rhywbeth pwysicach – roeddwn yn meddwl amdano bob tro roeddwn yn meddwl amdani hi. Un diwrnod, collais ddiferion o de ar hyd y lliain bwrdd, un gwyn crand. Fe olchais y lliain sawl gwaith ond roedd staen y te yno am byth, yn smotiau bach oedd yn rhedeg i'w gilydd, fel brychni haul fy ffrind.'

> 2. Deilen letusen hen fel balŵn wedi byrstio.
>
> Marlis Jones

Dywedodd yr awdures:

addurniadau: (ell) *decorations*
llipa: (a) *limp*

'Rydw i'n hoffi letus caled fel *iceberg*. Un tro, roeddwn i wedi cael brechdan salad oedd yn siomedig iawn. Disgrifio'r frechdan oeddwn i ac yn ceisio dangos mor ddiflas oedd y letus. Roedd y Nadolig newydd fod. Roeddwn yn cofio am yr addurniadau. Roedd deilen lipa'r letusen yr un fath yn union â'r hen falwnau oedd yn dal i hongian uwchben drws y neuadd.'

personoli: (b) *to personify*

difywyd: (a) *inanimate, lifeless*

ymddwyn: (b) *to behave*

b) Personoli

Weithiau, byddwn yn dweud bod pethau difywyd – neu anifeiliaid efallai – yn gwneud pethau y mae pobl yn eu gwneud. Byddwn yn sôn amdanyn nhw fel pe baen nhw'n bobl neu'n bersonau. Yr enw ar hyn ydy personoli. Edrychwch ar y brawddegau yma:

1. Erbyn iddi dywyllu, roedd y môr wedi dechrau anadlu'n drwm.
2. Teimlodd galon ei ffôn symudol yn curo ym mhoced ei got.

Yn y brawddegau hyn mae pethau'n ymddwyn fel pobl. Pam personoli yn hytrach na dweud:

1. Erbyn iddi dywyllu, roedd y môr wedi dechrau mynd yn arw.
2. Teimlodd ei ffôn symudol yn crynu ym mhoced ei got.

Ydych chi'n cytuno bod personoli

- yn ffordd fwy diddorol, ffres, llai cyffredin o ddweud rhywbeth
- yn helpu i greu darlun byw, clir yn nychymyg y darllenydd
- yn rhoi cyfle i ni ddefnyddio hiwmor wrth ysgrifennu?

Ymarfer 3.3

Edrychwch ar y geiriau hyn:

cwmwl **car** **seren** **ffenest**

eira **fflam** **coeden** **cloc**

Ysgrifennwch un frawddeg am bob un ohonyn nhw yn eu personoli.

grymus: (a) *powerful*

Ar dudalennau 12 i 17 mae'r stori 'Anrheg Nadolig'. Mae'r bath ciwb yn y stori hon yn siarad amdano'i hun fel pe bai'n berson.

Penderfynodd yr awdures ysgrifennu'r stori yn y person cyntaf, ar ffurf hunangofiant, a chael y bath ciwb i'w hadrodd am ei bod yn gweld hynny

1. yn ffordd fwy gwreiddiol a diddorol o ddweud y stori
2. yn llawer mwy doniol
3. yn ffordd rymus o ddweud rhywbeth am bobl!

Ymarfer 3.4

- Dewiswch un peth sydd yn eich bag ysgol.
- Ysgrifennwch baragraff amdano yn ei bersonoli.
- Cymharwch eich gwaith chi â gwaith eich ffrindiau.

awyrgylch: (eg) *atmosphere*

c) Creu awyrgylch

Mae creu awyrgylch addas mewn unrhyw ddarn o waith ysgrifennu dychmygus yn gwneud eich gwaith yn fwy byw i'ch darllenydd.

Cyn dechrau

- ceisiwch gael darlun clir yn eich meddwl – sut awyrgylch ydych chi eisiau ei greu?
- dewiswch ble bydd eich stori yn digwydd – y lleoliad
- ceisiwch ddethol ychydig fanylion grymus ynglŷn â'r lle a'u disgrifio

COFIWCH

- peidiwch â defnyddio rhesi hir o ansoddeiriau – mae un neu ddau o rai cryf yn fwy effeithiol
- dewiswch ferfau sy nid yn unig yn dweud **beth** sy'n cael ei wneud ond **sut** y mae'n cael ei wneud os yn bosibl (tud. 45)
- meddyliwch am gysylltiadau geiriau yn ogystal â'u hystyr llythrennol
- defnyddiwch eich pum synnwyr wrth ddisgrifio lle neu sefyllfa: beth sydd i'w weld / i'w glywed / i'w arogli / i'w flasu / i'w deimlo yno

cysylltiadau: (ell) *associations, connotations*
llythrennol: (a) *literal*

(Mae arogl yn arbennig o effeithiol am greu awyrgylch. Mae'n gallu deffro atgofion y darllenydd a'r cymeriadau – e.e. Mae cymeriad yn arogli chwa o bersawr a hynny'n ei atgoffa am ryw ddigwyddiad.)

chwa: (eb) *waft, lit. breeze*
persawr: (eg) *perfume*

- mae pethau fel cyffelybiaethau, trosiadau a phersonoli yn helpu i greu awyrgylch.

swatio: (b) *to snuggle*
cilio: (b) *to retreat*

yn dalog: (adf) *jauntily*
herio: (b) *to challenge*
pefrio: (b) *to sparkle*

Mae'r ddau ddarn nesaf yn sôn am yr un tŷ, ond sylwch sut y mae'r dewis o eiriau yn rhoi naws wahanol iawn i'r ddau.

> Roedd y tŷ yn swatio'n dynn ar ochr y mynydd fel pe bai'n ceisio cilio rhag y gwynt a'r glaw. O dan ei do llechi llwyd roedd ei ffenestri yn syllu'n ddall tua'r môr.

> Roedd y tŷ yn sefyll yn dalog ar ochr y mynydd fel pe bai'n mwynhau herio'r gwynt a'r glaw. O dan ei do llechi clyd roedd ei ffenestri yn pefrio wrth edrych tua'r môr.

Ymarfer 3.5

- Sut fyddech chi'n disgrifio awyrgylch y darn cyntaf? A'r ail?
- Pa eiriau sy'n newid naws y darn?
- Sut maen nhw'n gwneud hynny?
- Beth am gysylltiadau y gwahanol eiriau?

e.e.
- 'syllu'n ddall'?
- 'pefrio'?
- 'llwyd'?

(Mae gan bob lliw ei gysylltiadau.)

- Sylwch fod y ddau ddarn yn fyr iawn. Fe fyddai'n bosibl dweud llawer mwy am y tŷ, ond mae'r awdur wedi canolbwyntio ar rai nodweddion yn unig. Ydy'r rhain yn ddigon i greu awyrgylch?
- Chwiliwch am enghraifft o bersonoli yn y darnau. Ydy hi'n ffordd effeithiol o greu awyrgylch, tybed?

Darllenwch y darn:

Y bore hwnnw roedd yr ardd mor lliwgar ag enfys a'r gwenyn yn grwnan yn ddiog braf wrth ymweld â'r blodau pinc, coch, piws, glas a melyn, pob un yn ei dro. Roedd arogl gwyrdd, ffres, gwellt newydd ei dorri lond yr aer ac uwchben, ar frigau'r goeden, roedd bronfraith yn ffliwtio canu.

bronfraith: (eb) *thrush*

Ymarfer 3.6

Ailysgrifennwch y darn yma gan greu awyrgylch trist.

Mae sôn ynddo am liwiau a blodau a'r fronfraith.

Sut liwiau / tyfiant / aderyn fyddech chi'n eu cysylltu â thristwch?

Ceisiwch weu y rhain i mewn i'r darn.

tyfiant: (eg) *growth*

Ymarfer 3.7

- Meddyliwch am leoliad i'w ddisgrifio.
- Ysgrifennwch dri pharagraff am yr un lle yn cyfleu awyrgylch:
    1. hapus, siriol
    2. digalon, trist
    3. bygythiol
- Darllenwch waith eich gilydd.
- Trafodwch beth sy'n creu awyrgylch gwahanol ym mhob darn.

lleoliad: (eg) *location*

bygythiol: (a) *threatening*

delwedd: (eb) *image*

ch) Cynnal delwedd

Yn aml, wrth ysgrifennu, bydd awdur yn creu delweddau, sef lluniau yn y meddwl.

Trowch i'r ddeialog rhwng Helen a'i thad ar dudalen 45. Mae Helen newydd ddod i'r tŷ ar ôl bod allan gyda'i chariad, Arwel, ac mae ei thad, sy'n casáu Arwel, yn flin.

Mae ffrae – a gwaeth – yn dilyn.

- Sylwch yn ofalus ar y dewis o eiriau yn y darn hwn.
- Pa ddelwedd sy'n cael ei chreu yma?

Sylwoch chi ar y geiriau 'storm', 'taranodd' a 'melltio'? Maen nhw i gyd yn perthyn i'r un thema ac yn creu darlun o storm ym meddwl y darllenydd. Trwy gynnwys geiriau neu luniau sy'n perthyn i'r un thema bob hyn a hyn mewn darn o waith, mae'r un ddelwedd yn cael ei chynnal drwyddo.

chwerw: (a) *bitter*

Mae'r nofel *Y Dylluan Wen* gan Angharad Jones yn llawn delweddau. Yn y nofel hon mae cymeriad o'r enw Ifor Gruffydd sy'n brifathro chwerw. Mae Angharad Jones yn cyffelybu ei fywyd i ddŵr mewn bath ac mae'n dod yn ôl at y ddelwedd hon dro ar ôl tro yn y nofel. Er enghraifft, dyma'r disgrifiad ohono ar ôl iddo gael ei wneud yn ddi-waith:

gwagio: (b) *to empty*

> Roedd yn teimlo bod ei fywyd fel dŵr yn llifo i lawr twll y baddon ac yntau'n methu ffeindio'r plwg . . . fedrai o ddim atal y dŵr rhag gwagio, gwagio.

Ond ar ôl dechrau ei garwriaeth â Myfi:

drachefn: *again*

> Yr oedd y dŵr ym maddon ei fywyd wedi stopio gwagio, wedi stopio oeri, ac yn llenwi, yn llenwi drachefn, yn byrlymu'n gynnes, boeth. Roedd yn teimlo'n fyw am y tro cyntaf ers blynyddoedd.

COFIWCH

- pan fydd awdur yn creu delwedd mae'n ceisio tynnu un llun ym meddwl ei ddarllenydd, ac mae'n aros gyda'r llun / thema yma
- mae un ddelwedd drawiadol yn llawer mwy effeithiol na nifer fawr o gyffelybiaethau
- peidiwch â chymysgu eich delweddau – h.y. defnyddio mwy nag un ddelwedd wahanol ar yr un pryd.

Ymarfer 3.8

Ysgrifennwch

1. paragraff neu ddau yn sôn am fynd i weld ffrind neu berthynas mewn ysbyty.

crisialu: (b) *to crystallize*

Meddyliwch am un ddelwedd sy'n crisialu naws a theimlad y lle a'r profiad, a'i gweithio i mewn i'r disgrifiad.

2. paragraff neu ddau am farbeciw ar y traeth yn yr haf.

Eto, meddyliwch am ddelwedd addas sy'n cyfleu'r awyrgylch.

Ymarfer 3.9

- Darllenwch unrhyw waith rydych chi wedi ei ysgrifennu'n ddiweddar a cheisiwch feddwl am un ddelwedd sy'n dod i'ch meddwl wrth ei ddarllen
- Nodwch hi yn y lle mwyaf addas yn eich gwaith
- Ceisiwch ei chynnal hi drwy'r gwaith i gyd.

Ymarfer 3.10

- Rydych chi wedi cynllunio sawl stori – Ymarferion 1 Dewiswch **un** o'ch cynlluniau ac ysgrifennwch y stori.

COFIWCH dalu sylw i rai o'r technegau rydyn ni wedi eu trafod.

4. Ysgrifennu sgript

Mae dwy ran i sgript:

y ddeialog, neu'r sgwrs, rhwng y cymeriadau

y cyfarwyddiadau i'r actorion, cynhyrchydd ac ati.

cyfarwyddiadau: (ell) *directions, instructions*
cynhyrchydd: (eg) *producer*

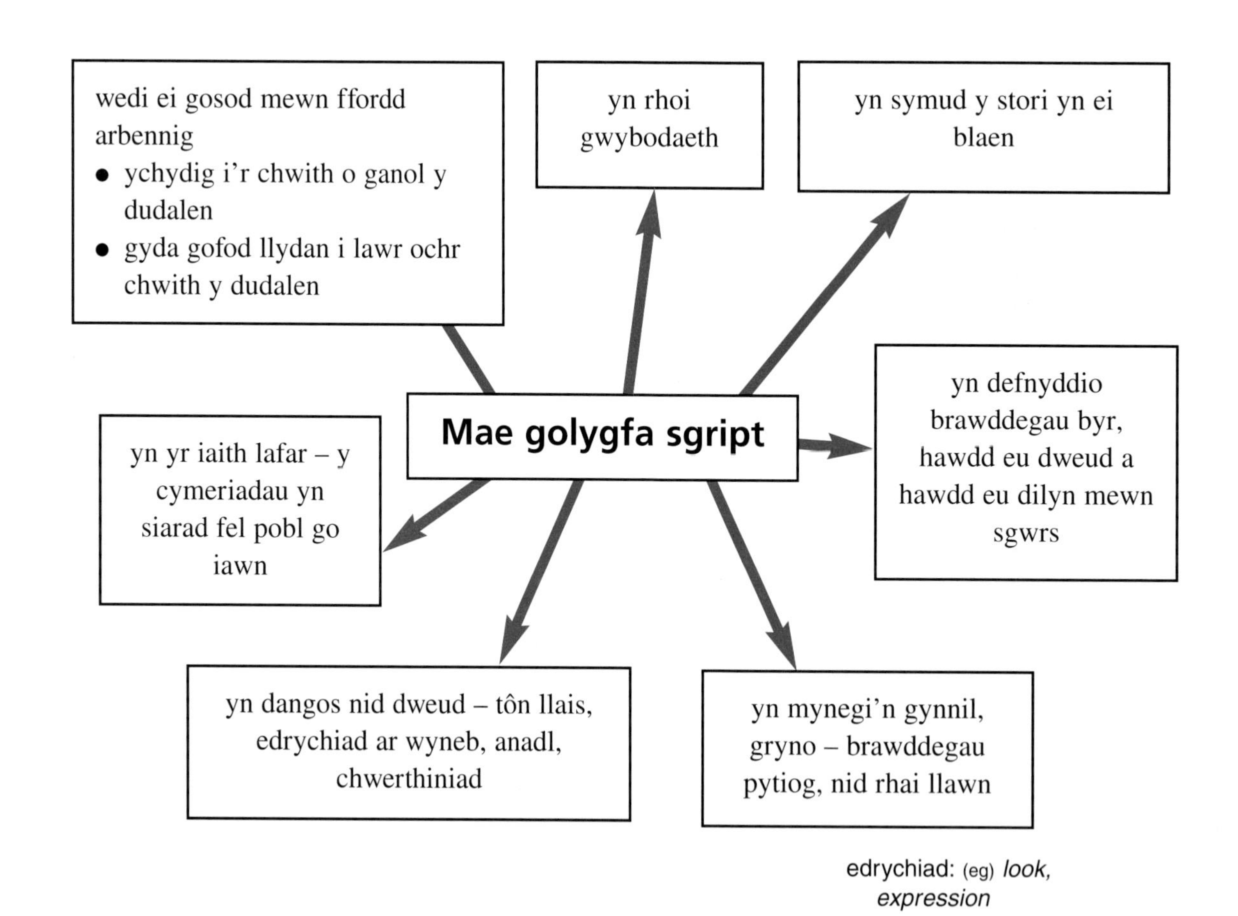

edrychiad: (eg) *look, expression*

SUT I OSOD SGRIPT

- dechrau pob golygfa newydd ar dudalen lân
- nodi ei rhif, mewn llythrennau bras, trwm, wedi'u tanlinellu

- nodi mewn llythrennau bras, trwm, wedi eu tanlinellu:
  - ble mae'r olygfa yn digwydd
  - y tu mewn neu'r tu allan
  - yr amser

- ar ôl gadael llinell, nodi enwau'r cymeriadau mewn llythrennau bras, trwm, heb eu tanlinellu

- ar ôl gadael llinell eto egluro cefndir yr olygfa mewn llythrennau bras, ysgafn, heb eu tanlinellu

- llinell wag rhwng llinellau pob cymeriad.

GOLYGFA 3

SWYDDFA YN Y DREF: MEWN. 10.30 a.m.

IOLA, GWYN

AGOR AR GWYN YN Y CORIDOR Y TU ALLAN I'R SWYDDFA. MAE E'N AGOR DRWS Y SWYDDFA. IOLA WRTH GYFRIFIADUR YN Y SWYDDFA. DAW GWYN I MEWN.

IOLA: Gwyn! Dyma be ydi sypreis ganol bora!

GWYN: Haia – ti'n iawn? . . . O'n i jest yn digwydd pasio a meddwl 'swn i'n galw i ddeud helo.

IOLA: Wel . . . helo! Gymi di banad?

GWYN: Na, na, ma'n iawn. Y – Iola, gwranda, ti'n gneud rwbath amsar cinio?

IOLA: Pam? Ti'n methu aros tan heno i 'ngweld i?

GWYN: Wel, mi fyswn i'n licio dy weld ti cyn heno.

IOLA: Iawn ta – dw i ar ginio cynnar. Lle awn ni?

GWYN: Llew Aur? Hannar dydd?

IOLA: Hannar dydd amdani

yr un fath: *the same*

O'r sgript yma, sut berthynas ydych chi'n feddwl sydd gan Iola a Gwyn? Ydy'r ddau yn teimlo yr un fath am ei gilydd?

cyfarwyddiadau mewn cromfachau a llythrennau bras, ysgafn.

Dyma'r un olygfa eto gyda'r cyfarwyddiadau:

GOLYGFA 3

SWYDDFA YN Y DREF: MEWN. 10.30 a.m.

IOLA, GWYN

AGOR AR GWYN YN Y CORIDOR Y TU ALLAN I'R SWYDDFA. MAE E'N EDRYCH YN EITHA NERFUS, MAE'N CLIRIO EI WDDF, YN ANADLU'N DDWFN AC YNA'N AGOR DRWS Y SWYDDFA. MAE IOLA WRTH GYFRIFIADUR YN Y SWYDDFA. DAW GWYN I MEWN.

IOLA: (YN CODI EI PHEN, SYNNU EI WELD) Gwyn! Dyma be ydi sypreis ganol bora!

GWYN: Haia – ti'n iawn? . . . O'n i jest yn digwydd pasio a meddwl 'swn i'n galw i ddeud helo.

IOLA: Wel . . . helo! (METHU CUDDIO'R FFAITH EI BOD YN FALCH O'I WELD) Gymi di banad?

GWYN: Na, na, ma'n iawn. Y – Iola, gwranda, ti'n gneud rwbath amsar cinio?

IOLA: Pam? (FFLYRTIO) Ti'n methu aros tan heno i 'ngweld i?

GWYN: (CHWERTHINIAD BACH NERFUS) Wel, mi fyswn i'n licio dy weld ti cyn heno.

IOLA: Iawn ta – dw i ar ginio cynnar. Ble awn ni?

GWYN: Llew Aur? Hannar dydd?

IOLA: (WRTH EI BODD) Hannar dydd amdani!

(MAE GWYN YN CEISIO GWENU'N ÔL OND YN NERFUS IAWN)

Mae geiriau'r actorion yr un fath yn union yn y ddau fersiwn o'r olygfa hon – ond erbyn hyn maen nhw'n adrodd stori wahanol.

Beth ydy'ch barn chi am berthynas Iola a Gwyn ar ôl darllen yr ail fersiwn?

- Pam mae Gwyn eisiau cyfarfod â Iola yn ystod yr awr ginio tybed?
- Beth fydd e'n ei ddweud wrthi?
- Sut fydd hi'n ymateb?

ymateb: (b) *to respond*

Gobaith yr awdur ydy ei fod e wedi gwneud y gwylwyr yn ddigon chwilfrydig i fod eisiau gweld yr olygfa nesaf rhwng Iola a Gwyn.

COFIWCH:

gwrthdaro: (eg) *conflict*

cenedlaethau: (ell) *generations*

rhwystrau: (ell) *obstacles*

- Mae'n rhaid cael gwrthdaro mewn drama. Gall hyn fod:
  - rhwng cariadon,
  - rhwng aelodau o deulu,
  - rhwng cenedlaethau,
  - rhwng gwledydd,
  - rhwng dyn a'i amgylchfyd.
- Mae'n rhaid i'ch cymeriadau fod eisiau rhywbeth yn fawr iawn e.e. cariad, gwaith, plentyn, arian, pŵer. Ond, mae'n rhaid i chi osod rhwystrau yn eu ffordd, gan greu gwrthdaro.
- **Peidiwch â gwneud bywyd yn hawdd i'ch cymeriadau.**

rhwystro: (b) *to prevent*

Ymarfer 4.1

Bydd Partner A yn dweud ei fod eisiau rhywbeth – bar o siocled, efallai – ond bydd Partner B yn ceisio meddwl am ffordd o'i rwystro rhag cael ei ddymuniad e.e.

A: Mae chwant siocled arna i! Rydw i am fwyta'r bar siocled 'na sy'n y cwpwrdd.
B: O, mae'n ddrwg 'da fi, ond fe fwytes i e neithiwr.
A: O wel, rydw i'n mynd i'r siop i brynu bar arall te.
B: Ond mae hi'n saith o'r gloch! Mae'r siop yn cau am chwech.

Ewch ymlaen fel hyn am tua deg tro gyda Partner A yn ceisio meddwl am ffyrdd o gwmpas rhwystrau Partner B a Partner B yn ceisio meddwl am rwystrau pellach. Yna, newidiwch drosodd er mwyn i'r ddau ohonoch gael cyfle i chwarae rhan eich gilydd.

- Mewn drama, mae rhai ffeithiau sy'n rhaid i'r gynulleidfa eu gwybod er mwyn medru deall y stori ond ddylai'r rhain byth ddal y stori yn ôl. Mae'n bwysig eu gweu nhw i mewn i'r plot ac i'r ddeialog.

  Gadewch i ni droi eto at y sgript deledu uchod.

  GOLYGFA 3 oedd y tro cyntaf i'r gwylwyr weld Iola a Gwyn, ac er mwyn medru dilyn beth oedd yn digwydd roedd angen iddyn nhw ddeall bod y ddau yn gariadon.

Ydych chi'n cofio sut y cawson ni'r wybodaeth yma? Fe gafodd ei gweu i mewn i'r ddeialog:

Ti'n methu aros tan heno i 'ngweld i?

CEISIWCH BEIDIO Â RHOI EGLURHAD HIR O'R CEFNDIR.

- Mae'r rheol 'dangos nid dweud' (tudalennau 56 - 58) yn wir iawn am ddrama – yn enwedig drama deledu. Yma, mae'n rhaid dweud y stori mewn ffordd weledol. Mae'n rhaid meddwl am luniau trwy'r amser – yn ogystal ag am y geiriau (deialog).

gweledol: (a) *visual*

Lle bynnag mae'n bosibl, dylech **ddangos** rhywbeth yn digwydd ar y sgrîn, yn hytrach na chael un cymeriad yn **dweud** wrth un arall ei fod wedi digwydd.
Er enghraifft, gadewch i ni ddweud bod un o'r cymeriadau yn eich drama chi, merch ifanc hardd, yn derbyn lifft gan ddieithryn. Mae'r gyrrwr yn ceisio gwneud argraff arni trwy yrru'n gyflym ond mae'n cael damwain.
P'un fyddai'r ffordd fwyaf effeithiol i roi'r wybodaeth hon i wylwyr teledu?

dieithryn: (eg) *a stranger*
argraff: (eb) *impression*

- cael ffrind i'r ferch i ffonio rhywun i ddweud y newydd?

Neu

- dangos
  - y ferch yn cerdded ar hyd y stryd
  - dyn ifanc yn gyrru car crand
  - y car yn dod heibio i'r ferch ac yn stopio
  - hi'n mynd i mewn i'r car
  - y ddau'n teithio yn y car
  - y gyrrwr yn mynd fel cath i gythraul
  - y ferch yn teimlo'n ofnus, yn gweiddi arno i arafu
  - lorri yn dod i'w cyfarfod
  - y gyrrwr yn methu arafu
  - damwain.

fel cath i gythraul: mynd mor gyflym ag sy'n bosibl

Mewn drama deledu a ffilm, felly, darn o'r stori yn unig mae'r ddeialog yn ei ddweud; mae'r gweddill yn cael ei ddweud gan y camera.
Mae'n rhaid i'r sgript gynnwys disgrifiadau o'r lluniau yn ogystal â'r geiriau mae'r cymeriadau yn eu dweud.

Mewn drama radio, mae effeithiau sain a cherddoriaeth hefyd yn gallu bod yn bwysig i'r stori. Unwaith eto, mae'n rhaid i'r sgript gynnwys disgrifiadau o'r rhain yn ogystal â deialog.

Newid Naws Deialog

Dyma'r sgwrs rhwng Iola a Gwyn wedi iddyn nhw gwrdd yn y dafarn.

IOLA: Gwyn. Ti'n gwbod heno te . . . y parti 'ma . . . wel, dw i wedi bod yn meddwl –

GWYN: Iola – dw i . . . isio ca'l gair efo chdi ynglŷn â heno. Yli, ma'n ddrwg iawn gin i, ond fedra i'm dwad.

IOLA: Be? Pam?

GWYN: Gwaith. Mae'n rhaid i mi fynd i Gaerdydd.

IOLA: Eto?

GWYN: Wel, ti'n gwbod sut ma' i.

IOLA: Gwyn . . . ydy Sara'n mynd hefyd?

GWYN: Wel ydy. Mae'n un o'r tîm tydy?

IOLA: Un o'r tîm! Hy! Gwyn, ti'n meddwl 'mod i'n wirion? Ti'n meddwl 'mod i'n ddigon o ffŵl i gredu'ch bod chi'ch dau yn mynd i Gaerdydd i **weithio**?

GWYN: Iola, 'nei di gadw dy lais i lawr?

IOLA: Dw i ddim digon i ti, nag ydw Gwyn? Oes raid i ti ga'l mwy nag un ferch ar y tro, oes? Ond dyna fo, dw i wedi sylwi cyn hyn mor farus wyt ti –

barus: (a) *greedy*

GWYN: Iola! Ma 'na bobol yn edrach arnat ti!

GWEINYDDES: Plowman's?

GWYN: Fi 'sgwelwch yn dda.

GWEINYDDES: A'r stêc?

garlleg: *garlic*

IOLA: Fo! Fo bia'r stêc hefyd. A'r bara garlleg. Peidiwch â phoeni, mae o'n siŵr o'i fyta fo i gyd. Mae o'n ddigon barus i rwbath!

Ymarfer 4.2

Ysgrifennwch gyfarwyddiadau i'r ddeialog yma.

5. Ysgrifennu Llythyr

Pan fyddwn ni'n ysgrifennu llythyr rydyn ni'n

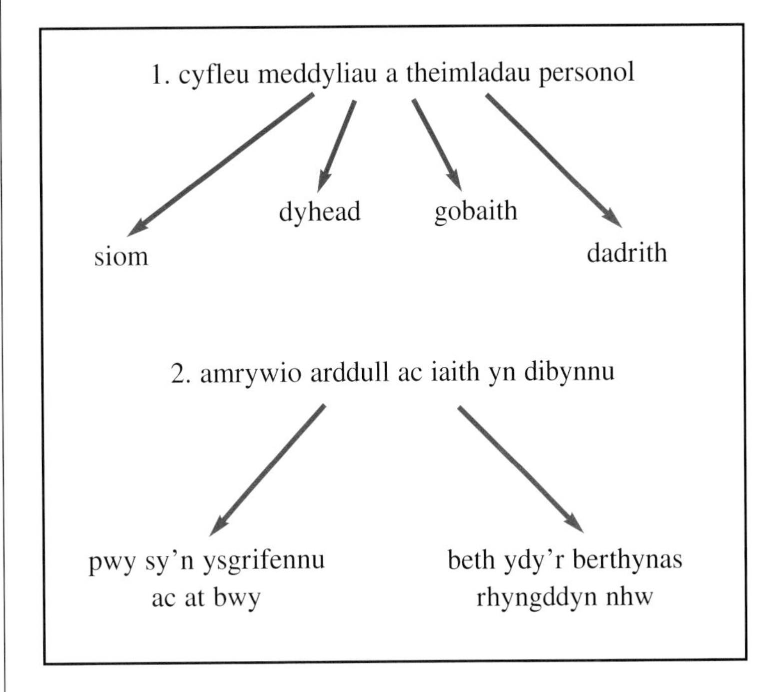

dyhead: (eg) *longing*

dadrith: (eg) *disillusion*

amrywio: (b) *to vary*

tafodieithol: (a) *colloquial*

sgyrsiol: (a) *conversational*

dwys: (a) *serious, intense*

hel atgofion: (b) *to reminisce*

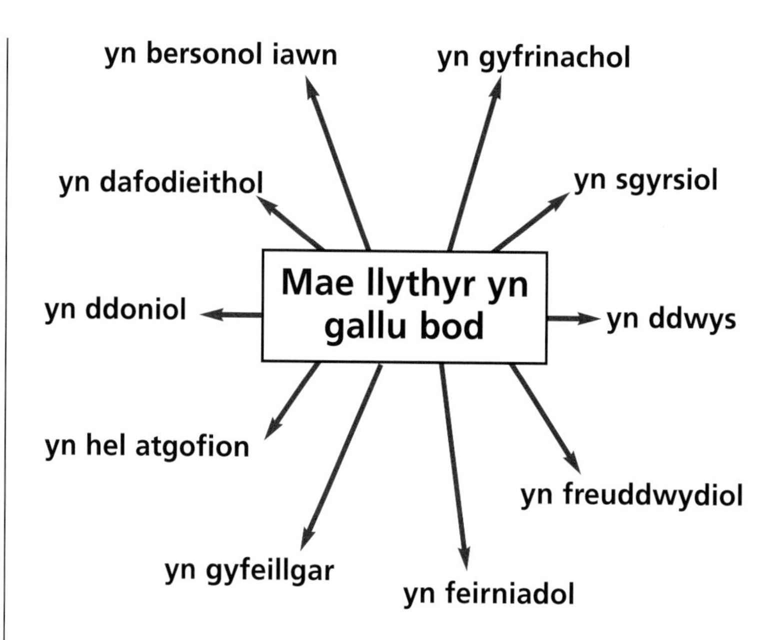

Mae pob llythyr yn dweud rhywbeth am bersonoliaeth yr un sy'n ei ysgrifennu.

cyfathrebu: (b) *to communicate*

Y gamp ydy cyfathrebu yn effeithiol.

Darllenwch y llythyr hwn:

Annwyl Marco,

Cyn i ti godi dy galon, mae'n rhaid i mi ddweud wrthyt ti dydy'r llythyr hwn ddim yn llawn gobaith a breuddwydion fel dy lythyrau di. Diolch i ti am ysgrifennu mor gyson a chariadus ond . . .

Anghofia i fyth mo'r wythnos a dreuliais yn dy gwmni. Ti, yn olygus a pharod dy wên y tu ôl i'r bar yn y gwesty, a minnau'n Gymraes swil, gyda fy Sbaeneg gwael. . . .

O'r foment y gwelais i di roeddwn i ar ryw gwmwl pell a'r byd yn berffaith. . . .

Wrth i ni gerdded law yn llaw ar hyd y traeth ar y noson olaf a'r tywod rhwng bodiau'n traed, roeddwn i'n gwybod byddai'n rhaid i ni wahanu . . .

Treuliais wythnos orau fy mywyd gyda thi; yn cerdded, yn dawnsio, yn chwerthin ac yn caru. Mae'r atgofion wedi eu cloi yn fy nghalon . . .

Ond mae'r cyfan drosodd bellach . . . Pa obaith sy . . .? Paid ysgrifennu eto . . . Cofia'r amser da a cheisio gwenu.

Dwi'n dy garu di,

Arianrhod

mor gyson: *so regularly*

gwahanu: (b) *to separate*

atgofion: (ell) *memories*

terfynu: (b) *to terminate*

Addasiad o lythyr Lowri Hughes, Adran Ysgol y Creuddyn

[Enillydd cystadleuaeth 'Ysgrifennu Llythyr yn Terfynu Carwriaeth', Eisteddfod yr Urdd, Bro'r Preseli, 1995]

seilio: (b) *to base*

Ymarfer 5.1

1. Trafodwch:

- Beth ydych chi wedi ei ddysgu am bersonoliaeth Arianrhod?
- Tybed fyddai Marco'n derbyn bod y garwriaeth ar ben neu fyddai e'n ysgrifennu nôl at Arianrhod?
- Dychmygwch ei fod e'n ysgrifennu – beth fyddai e'n ei ddweud?

[Dylech seilio eich syniadau ar beth mae Arianrhod wedi ei ddweud.]

2. Ysgrifennwch lythyr Marco.

cyfres: (eb) *series*

cyfrinach: (eb) *secret*

esgob annwyl: dywediaid yn y Gogledd : *Gracious me! (lit.dear bishop!)*

dipyn o strach: *quite a bother*

direidus: (a) *mischievous*

llym: (a) *severe*

beirniadol: (a) *critical*

cymdogion: (ell) *neighbours*

cecru: (b) *to quarrel*

yn awyddus: *anxious*

Mae cyfres o lythyrau yn gallu dweud stori. Mae'r gyfres hon rhwng mam a merch ac un person arall yn datgelu cyfrinach:

Les Sapins
Vers L'Eglise
Les Diablerets
Y Swistir
Mai 11

Annwyl Mam,

Esgob annwyl mae'n anodd credu 'mod i yma ar dop mynydd yn y Swistir! . . . Fe fuaswn i'n fodlon byw yma ar hyd fy oes.. . . dyma sialens fwya fy mywyd wedi cyrraedd wrth i mi wynebu'r dasg o fod yn nyrs plant am y tro cyntaf un. . . . Mi fydd hi'n dipyn o strach wrth drio cadw trefn ar y diafoliaid bach 'ma ond o leiaf fe fydd yn haws wynebu tri phâr o lygaid direidus yma na llygaid llym beirniadol y cymdogion gartre'. Fe ddylai'r cymdogion fod wedi anghofio am y gorffennol bellach . . . Rwyt ti wedi cael hen ddigon o gecru creulon, mam . . . Mae [Pierre ac Angharad] yn cael parti . . . Mae Angharad yn awyddus iawn i mi gael cyfarfod ag un o ffrindiau Pierre, Cymro.

Gyda chariad mawr mawr,
a lot o swsus,
Miri
XXX

camgymeriad: (eg) *mistake*

dygymod â: (b) *to come to terms with*

beichiogrwydd: (eg) *pregnancy*

Afallon,
Stryd Clwyd,
Yr Wyddgrug,
y 29ain o Fai

Annwyl Miri,

. . .

Paid â syrthio i'r un camgymeriad â wnes i, Miri. O leiaf, gwna di'n siŵr dy fod ti'n gwybod enwau dy gariadon! . . . Rwyt ti'n gwybod yn iawn nad ydw i ddim hyd yn oed yn gwybod enw dy dad. Mi fydd yn rhaid i ti fynd trwy dy oes yn gwybod mai Cochyn yr oedd pawb yn ei alw o . . . Wythnos yn unig y bûm i'n ei gwmni ac ni chymerodd ddim mwy na noson i chwalu fy myd. Roedd hi'n anodd iawn dygymod â beichiogrwydd yn un ar bymtheg oed . . .

Mae'n iawn i ti gael hwyl tra'n ifanc a gobeithio y cei di fwynhau'r parti . . .

Cariad mawr,

Mam

X

atynfa: (eb) *attraction*
sbïo : (b) *to look* (Gogleddol)

tocyn mynediad: *ticket for admission*
breuddwyd: (eb) *dream*

Les Sapins
Vers L'Eglise
Les Diablerets
Y Swistir
1 Mehefin

Annwyl Mam,

Mi 'dw i dros fy mynyddoedd Diablerets mewn cariad! Rhodri ydi'i enw o. . . .

Wel iesgob 'dwn i ddim sut ond mi roedd 'na rhyw atynfa naturiol rhyngom o'r funud y sbïodd o arna ' i.

• • •

Gorffennaf 10

Esgob mae cael bod yn ddeunaw oed fel cael tocyn mynediad i freuddwyd! Does 'na ddim byd ond pethau da wedi digwydd i mi ers i mi gael fy mhen-blwydd . . . mae Rhodri ar fy meddwl i o hyd. Dw i'n ei hoffi o'n fawr . . . Mae o am yrru llun ohono fo pan oedd o'n ieuengach . . . gyda'i lythyr nesaf. . . .

Lot o swsus

Miri

X X X

brychni haul: (ell) *freckles*

fath â byw : *like living*

Les Sapins
Vers L'Eglise
Les Diablerets
Y Swistir
Medi 11

S'mae mam?!

. . . Be w't ti'n feddwl o'r lluniau 'ma te? . . . mi gafodd Angharad a minne ddigon o hwyl yn chwerthin am ben ei wallt steil pync a'r brychni haul! Cofia dydi o ddim yn edrych ddim byd tebyg i'r llun yma erbyn heddiw. . . Dydi ei wallt o ddim mor goch erbyn hyn. . . Mi wela i di cyn hir,

Miri

XXX

• • •

Hydref 14

Dim ond gair bach i ddweud mod i'n cael dod adref am bythefnos y mis nesaf . . . mae Rhodri'n dod! . . .

Mae o'n hoffi cyri a reis, brechdanau jam a chacen siocled (ond nid wedi eu cymysgu â'i gilydd!)

. . . dw i'n dal yn methu credu mod i wedi dod o hyd i rywun mor berffaith. Esgob ma' fath â byw mewn byd o ffantasi! Plîs cofia wneud yn siŵr y bydd pob ystafell yn y tŷ 'cw mor drefnus â Chôr y Felin . . . Mae'n rhaid i bopeth fod yn berffaith! . . .

Wel, mi wela i di cyn bo hir ac mi gei dithau weld Rhodri.

ta ta, tan toc!

Miri

X X X

heb ei hail: *without equal*

ymuno â: (b) *to join*

La Grande Maison,
17 Rue du Maine,
57350 Cormontreuil,
Reims,
Ffrainc
Gorffennaf 30ain

Annwyl Mrs Jones,

Dim ond gair bach i fy nghyflwyno fy hun i chi ac i ddymuno pen-blwydd hapus ydi hwn. Mae'n siŵr eich bod chi'n gwybod amdanaf erbyn hyn a bod Mirain wedi egluro ein bod ni'n dau yn ffrindiau mawr iawn. Mae gennych chi ferch heb ei hail . . . rydw i wedi derbyn ei gwahoddiad i ymuno â hi ar ei thaith adref. . .

Rhodri Rowlands

atal: (b) *to prevent*

ffawd: (eb) *fate*

yr un ffunud: *the spitting image*

toreth: (eb) *abundance*

ar dy union: *straightaway*

Afallon,
Stryd Clwyd,
26. 10. 88

Annwyl Miri,

Uffern ydi'r newyddion drwg sydd gen i i'w dweud wrthyt ti. . . .

Plîs tyrd adref ar dy ben dy hun a phaid â dod â fo gyda ti. Nid fi sy'n dy atal di ond ffawd. Roedd y lluniau ddanfonaist i mi ohono'n ifanc yn ddigon i mi sylweddoli . . . [a] dy lun dithau hefyd yn eneth fach, yr un ffunud â fo efo'r toreth o wallt coch. Plîs brysia adre'n fuan! Tyrd ar dy union ar dy ben dy hun!

Mam

Manon Fflur Spencer [Ail yng nghystadleuaeth y Goron yn Eisteddfod Genedlaethol yr Urdd yng Nghwm Gwendraeth 1989 – cyfres o lythyrau gan dri pherson gwahanol.]

Ymarfer 5.2

1. Trafodwch y gyfres o lythyrau.

Efallai y byddech chi'n hoffi sôn am:

- y ddau lais gwahanol – llais y fam a llais y ferch yn eu llythyrau
- sut mae'r awdures wedi dangos y gwahaniaeth rhyngddyn nhw – eu personoliaeth, eu hagwedd, eu harddull
- ydy'r sefyllfa mae'r llythyrau yn ei darlunio yn gredadwy?

Sylwch fod yr awdures wedi cofio am bwysigrwydd plannu.

Oeddech chi wedi dyfalu sut y byddai'r stori'n datblygu?

Oes yma ddangos nid dweud?

2. Dychmygwch mai chi ydy Miri.
3. Ysgrifennwch lythyr at Rhodri yn egluro pam fydd e ddim yn gallu dod gyda chi i Gymru.

Rydych chi'n gallu dweud y gwir neu hel esgus dros dro –

Chi sydd i ddewis.

hel esgus: (b) to *find an excuse*

6. Ysgrifennu dyddiadur

Mae pawb sy'n ysgrifennu dyddiadur

cofnodi: (b) *to record*

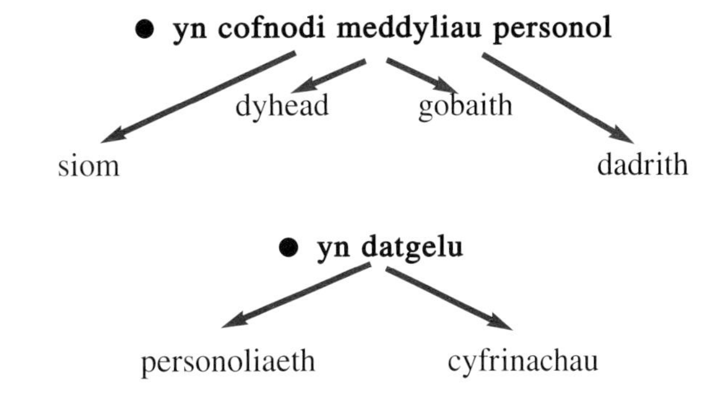

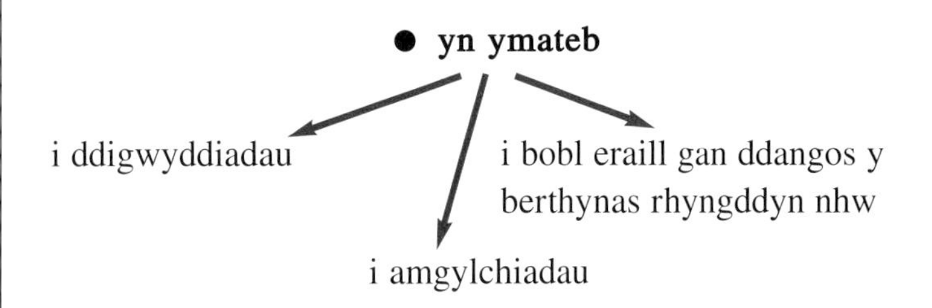

● **yn ennyn chwilfrydedd**

Er bod dyddiadurwyr sy'n cyhoeddi eu dyddiaduron yn dweud eu bod yn cofnodi 'hanes' personol, cyfrinachol mae'r arddull yn bwysig:

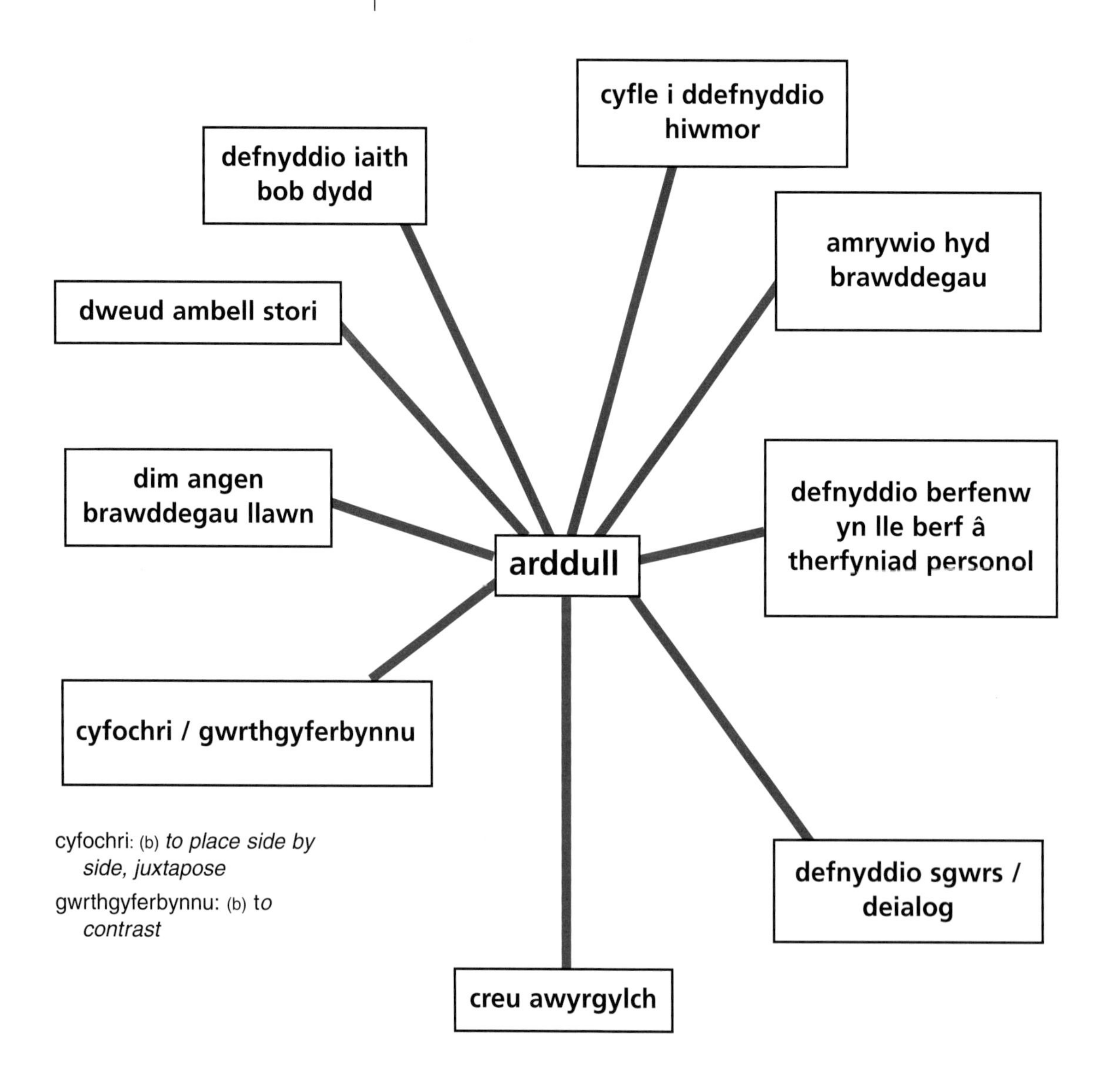

cyfochri: (b) *to place side by side, juxtapose*

gwrthgyferbynnu: (b) *to contrast*

newydd sbon danlli: *brand new*
yn unswydd: *sole intention*

cadach llestri: (eg) *dishcloth*

manteision: (ell) *advantages*
araith ar y pryd: *impromtu speech*
aiff hi o'i cho': *she will be annoyed*

gofynion: (ell) *requirements*

Darllenwch y dyddiadur hwn:

DYDDIADUR CWRS

Nos Wener

Damia! Dros chwedeg o filltiroedd oddi cartref a dw i wedi anghofio fy jîns. Y jîns newydd sbon danlli ron i wedi 'i prynu'n unswydd i ddod yma. . . .
Stop yng Nghricieth "Tref Lloyd George" ar y ffordd yma.
Ruth yn gofyn "Pwy ydy Lloyd George?" . . .
Ysgrifennu creadigol i ddysgwyr sy wedi croesi'r bont ydy teitl y cwrs. A bod yn hollol onest, fedra i ddim cofio croesi unrhyw bont.

Dydd Sadwrn

Cawson ni lifft i Gricieth. Gwych. . . . Amser i brynu mân bethau sy'n rhaid eu cael – *Cosmopolitan, New Woman*, siocled, wrth gwrs, a photel o lemoned. . . .
Yn ôl erbyn 4. . . . Portread oedd testun y seminar – diddorol ac yn help mawr i ni fel dysgwyr. . .

Dydd Sul

Dw i'n teimlo fel cadach llestri y bore 'ma! Ches i fawr o gwsg neithiwr. . . . Dyn ni wedi cael sbri y penwythnos 'ma ond dw i'n dechrau poeni rwan achos bydd yn rhaid i mi fynd yn ôl i'r wers Gymraeg wedi ystyried y manteision rydyn ni wedi'u cael ar ôl croesi'r bont 'na.
Bydd HI'n disgwyl araith ar y pryd ac fe aiff hi o'i cho' os na fydda i'n dweud y pethau iawn!
Wel, jyst gobeithio na fydd Ruth yn agor ei hen geg eto ac yn gofyn yn hurt am y boi Lloyd George 'na, ynte?

Siân Williams

[Detholiad o'r Dyddiadur a enillodd y gystadleuaeth i ddysgwyr yn Eisteddfod yr Urdd, Bro Glyndŵr, 1992, Adran Ysgol Castell Alun]

Ymarfer 6.1

Trafodwch ddyddiadur Siân. Edrychwch ar y siartiau. Ydy cynnwys ac arddull ei dyddiadur yn ateb y gofynion.

Darllenwch y darn sy'n dilyn, o ddyddiadur Rhys, *Pam Fi, Duw, Pam Fi?*. Mae'n dweud stori a hiwmor yn y dweud.

Nos Sadwrn 23 Tachwedd

Wna i fyth gwyno eto ynglŷn â bod yn bôrd. Ma heddi 'di bod yn anhygoel. Penderfynon ni, Îfs a Spikey a Rhids a fi, fynd i Abertawe . . . Wel o'dd pethe'n sbort, Spikey a Rhids yn idiots, fel arfer, mynd mewn i C&A's a thrïo'r hete mla'n a cha'l row oddi wrth y menywod. Cofiwch, ath Rhids rhy bell pan drïodd e ffrog mla'n a thynnu'i drowser e lan at 'i benglinie. Ma' fe'n swno mor ofnadwy o blentynaidd, ond mae e'n gymaint o laff wir!! Wel ta p'un, o'n i 'di dod allan o'r ganolfan siopa nawr, ac yn mynd am y Burger King agosa i ga'l rhywbeth i fyta, a digwyddodd y ddaeargryn. Dyw Îfs ddim yn gwelwi am ddim, na'r ddau arall, ond draw yr hewl, yn y'n hwynebu ni, o'dd tyrfa o gefnogwyr (anifeiliaid) pêl-droed Abertawe. Wrth gwrs, ro'dd hi'n Sadwrn gêm, a'r gwrthwynebwyr o'dd Millwall. Nawr WY' 'di clywed am Millwall hyd yn o'd. Pwynt yw, do'dd dim un ohonon ni'n gwishgo sgarff neu ddim byd fel 'na i ddynodi pwy o'n ni – sa i hyd yn oed yn cefnogi unrhyw glwb pêl-dro'd. Ond do'dd dim lot o awydd arna i ymresymu â'r pac 'na o idiots.

Do'n nhw ddim yn edrych fel pobol o'dd yn mynd i'r Ysgol Sul, wedwn ni fel'na.

Medde Îfs, "Jyst rho dy ben i lawr a cherdda glou."

Fi (thic), "Paid becso, Îfs, smo ni 'di neud dim byd."

Îfs, "Blydi shiffta,"

"OI," llais mwyn o'r ochr arall.

RHEWON ni. "Oi said 'oi', oi did." Saesneg cwbwl eglur 'da'r brawd!!

Edrychodd y pedwar ohonon ni tuag at y llais.

"Cym'ier."

Na, sa i'n credu, frawd, a'r pedwar ohonon ni'n cerdded wysg y'n cefne.

anhygoel: (a) *incredible*

gwelwi: (b) *to turn pale*

dynodi: (b) *to indicate*

ymresymu: (b) *to reason*

ffyrnigrwydd: (eg) *ferocity*

. . . wedyn dethon nhw aton ni, fel ton o ffyrnigrwydd â dannedd a sgrechfeydd uffernol. O'n i OFN.
Rhedeg, y pedwar ohonon ni trwy ganolfan siopa, y Quadrant, ddim yn gweld i ble o'n ni'n rhedeg, jyst mynd.
. . .

Ymarfer 6.2

Trafodwch arddull y darn yna:

- yr iaith dafodieithol
- sut mae'r awdur wedi creu awyrgylch
- y gwrthgyferbynnu rhwng y ddwy sefyllfa – un yn ddoniol a'r llall yn cyfleu ofn
- ymateb Rhys – ei sylwadau
- y defnydd o sgwrs
- yr hiwmor

sylwadau: (ell) *observations*

Efallai eich bod chi'n cadw dyddiadur. Mae'n syniad da achos rydych chi'n ymarfer ysgrifennu.

cyfarch: (b) *to greet*

Mae rhai pobl yn meddwl am ddyddiadur fel ffrind sy'n barod i wrando! Roedd Anne Frank yn cyfarch ei dyddiadur – 'Annwyl Kitty'.

cofnod: (eg) *record*

Mae dyddiadur hefyd yn gofnod diddorol o'ch bywyd chi ac o'r hyn sy'n digwydd yn y byd o'ch cwmpas.

Mae dyddiadur Ann Frank, wrth gwrs, yn rhoi darlun byw i ni o fywyd yr Iddewon oedd yn cuddio yn ystod y rhyfel.

Dyma ddarn byr o ddyddiadur taith – 'ar wyliau yn yr Almaen'.

Mae yma ddau fersiwn:

1. y cofnod gwreiddiol sy'n cynnwys llaw-fer bersonol:

> Iau, Awst 4
>
> Dim newid – glaw eto. Llond bol! Pwy ddwedodd fod gwyliau gyda'r teulu yn hwyl?!
>
> 'Steddfod gartre – maes pebyll, neu maes carafanau – sbort! Amg. arall (y 6ed.), wedi colli cownt ar eglwysi. Tŷ bach twt heno.

2. Dyma'r cofnod wedi ei ysgrifennu'n llawn, fel bod darllenwyr eraill yn ei ddeall, ac wedi ei sensro fel bod diflastod y dyddiadurwr wedi ei gadw'n gyfrinach:

cywrain: (a) *intricate*

> Iau, Awst 4
>
> Dyma hi bron yn ddiwedd yr ail wythnos – glaw heddiw eto! Mae pawb ononon ni wedi gweld lot o eglwysi ac amgueddfeydd. Roedd ifori wedi ei gerfio'n gywrain yn un Wurtzburg heddiw. Rhaid tacluso'r garafan heno -– symud i Augsburg yfory. Gobeithio bydd y tywydd yn well.

Ymarfer 6.3

1. Ysgrifennwch gofnod i'ch dyddiadur yn sôn am un diwrnod. Dydych chi ddim yn bwriadu i neb ond chi ei ddarllen. Rydych chi'n gallu defnyddio llaw-fer bersonol.
2. Meddyliwch am ddyddiadur Anne Frank. Cyn cyhoeddi ei dyddiadur hi, roedd ei thad wedi ei sensro! Roedd yn meddwl am y darllenwyr, y gynulleidfa.
3. Ailysgrifennwch eich cofnod chi ar gyfer 'cynulleidfa'. Efallai yr hoffech chi edrych eto ar dudalen 96 i'ch atgoffa am arddull.

Beth sy'n wahanol yn eich ail fersiwn:

- yn y cynnwys?
- yn yr arddull?

7. Ysgrifennu ymson

Mae awdur ymson yn

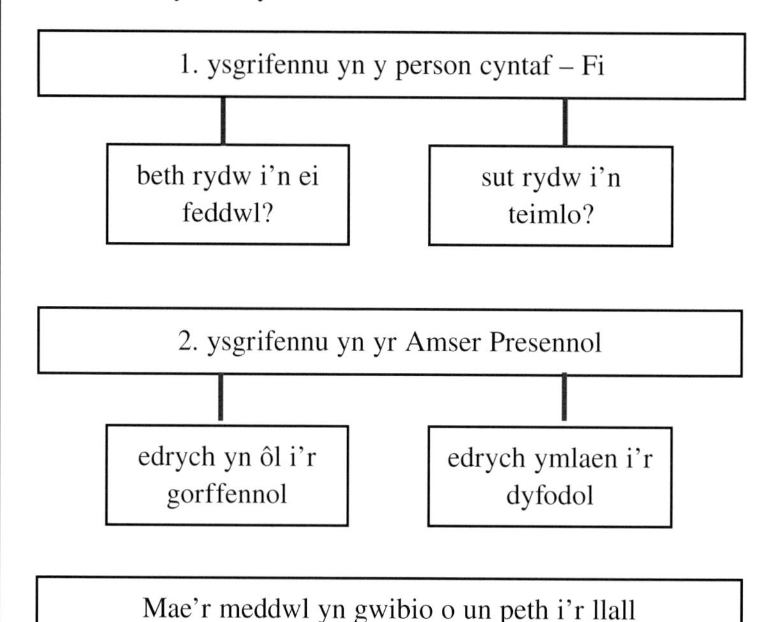

gwibio: (b) *to dart*

Mae'n bosibl ysgrifennu stori ar ffurf ymson. Ffordd arall o'i ddisgrifio ydy rhediad y syniadau sy'n mynd drwy eich meddwl (llif yr ymwybod).

llif yr ymwybod: *flow of consciousness*

Mae'r person yn siarad ag ef ei hun mewn ymson.

Yn aml, mae'n datgelu cyfrinachau. Mae'r awdur yn gallu dangos beth ydy ei ymateb

- i bobl eraill
- i sefyllfa

Mae'n bosibl cyfleu tyndra trwy sôn am deimladau sy'n cuddio dan yr wyneb.

tyndra: (eg) *tension*

Darllenwch Ymson Hywel – mae'n darlunio sefyllfa mae e'n gyfarwydd â hi – gwrthdaro o fewn y teulu:

berfau yn y Person 1af

smalio: (b) *to pretend*

Rydw i'n clywed bob gair mae Mam a Julie'n ei ddweud. Pam mae'n rhaid iddyn nhw ffraeo fel hyn o hyd? Mae'n gas gen i eu clywed nhw wrthi. Dyna pam dw i'n swatio yn y gwely ac yn smalio cysgu. Ond dw i'n clywed popeth achos mae f'ystafell i uwchben y gegin. Dw i'n deall y drefn yn iawn erbyn hyn. Mi fydd y ddwy'n colli eu tymer ac yn dweud pethau dydyn nhw ddim yn eu meddwl ac mae'n siŵr y bydd Julie yn bygwth pacio ei bagiau a mynd i fyw at Nain. Mae hynny'n codi ofn ar Mam.

Sut mae e'n teimlo a beth mae e'n ei feddwl

Dw i'n gweld bai ar y ddwy ohonyn nhw. Fyddwn i byth yn siarad efo Mam fel mae Julie'n ei wneud, ond mae Mam hefyd yn ffysian ac yn gwneud môr a mynydd o bopeth. Mae hi'n cwyno bod Julie'n gwylio'r teledu yn lle ymarfer ei phiano a'i ffidil. Efallai fod ganddi bwynt yn y fan yna achos mae Julie yn *addict* operâu sebon – *Neighbours, Home and Away, Coronation Street* ac *Eastenders*.

A! roedddwn i'n disgwyl hynna! Clep ar ddrws y gegin nes bod y tŷ 'ma'n ysgwyd. Mi glywa i bob cam mae Julie'n ei gymryd i fyny'r grisiau! . . . Mi fydd Mam i fyny ar ei hôl hi yn y munud i drio bod yn ffrindiau …

edrych yn ôl
edrych ymlaen

mi a' i: *I will go*

Dydy o ddim yn gweithio chwaith. Mae Dad bob amser yn dweud "Gad iddi fod" ond dydy Mam byth yn gwrando arno fo . . . Unwaith y bydd Mam a Dad wedi mynd i gysgu, mi a' i at Julie achos dw i'n gwybod yn iawn y bydd hi'n crio.

(Deunydd asesu CA3, 1996, ⓗ Y Goron)

Darllenwch ddarn byr o ymson arall. Mae'r awdur yn ddeunaw oed ac wedi penderfynu gadael cartref:

gwynt main: *a keen wind*

berfau yn y Person 1af

Amser Presennol – .'rwy . . .' a'r Dyfodol 'byddaf'

gofidio: (b) *to worry*
llawenhau: (b) *to rejoice*
rhyddid: (eg) *freedom*
magu adenydd: *to grow wings*
piau: (b) *to own*

> Caeais y drws, caeais lif o atgofion ar fy ôl. Cerddais ar hyd y llwybr . . . Gwichiodd y giât . . . Teimlais wynt main yn chwipio 'ngwallt . . . . Rwy'n falch 'mod i wedi gwneud y penderfyniad . . . Rwy'n gwybod y byddaf yn hiraethu am eich cwmni . . . yn hiraethu am gael agor papur lliwgar yr wyau Pasg a chael blasu'r melys melyn a gwyn y tu mewn i'r siocled. Ond rwy'n dyheu am newid . . . er mwyn blasu bywyd go iawn, bywyd ar fy mhen fy hun – sefyll ar fy nhraed fy hun, a dyma fi'n mynd i'r byd mawr . . . Byddaf yn cofio' n ôl, yn edrych ymlaen i'r dyfodol . . . Rwy'n cau fy nghot . . . Rwy'n gofidio ac yn llawenhau, byddaf yn hiraethu, ond hefyd yn meddwi ar fy rhyddid . . . Fel magu adenydd a chodi i'r awyr . . . ie . . . chi biau ddoe . . . fi biau yfory.

Darn wedi ei addasu o Ymson Rhys Ifan
[Enillydd y Gystadleuaeth yn Eisteddfod yr Urdd Islwyn, 1997, Adran Ysgol Morgan Llwyd.]

Sut mae'n teimlo –

- teimlais wynt main [mae'n gadael cynhesrwydd cartref]

Beth mae e'n ei feddwl

- mae'n sylweddoli y bydd yn hiraethu, ond mae ei deimladau'n rhai cymysg: rwy'n gofidio ac yn llawenhau

mae'n edrych yn ôl

- cofio'r wyau Pasg

mae e'n edrych ymlaen

- yn dyheu am newid . . . blasu bywyd ar fy mhen fy hun . . . meddwi ar fy rhyddid

Ymarfer 7.1

1. Edrychwch ar y ddwy ymson sy'n sôn am fywyd teuluol. Beth ydy'r gwahaniaeth rhwng y ddwy sefyllfa?
2. Trafodwch yr arddull

Yn ymson Hywel e.e.

- y cwestiwn rhethregol
- y dilyniant rhesymegol
- sut mae'n manylu ar achos y gwrthdaro
- sut mae'n mynegi'n gynnil beth ydy'r berthynas rhyngddo fe a'i chwaer yn y frawddeg olaf.

Yn ymson Rhys e.e.

- y gyffelybiaeth. Ydy hi'n effeithiol? Pam?
- y gwrthgyferbynnu e.e.
  cynhesrwydd y cartref a'r oerni y tu allan
- y defnydd o'r synhwyrau

Chwiliwch am enghreifftiau.

- y cloi effeithiol sy'n edrych yn ôl i'r gorffennol ac yn edrych ymlaen i'r dyfodol mewn brawddeg fer – 'chi biau ddoe . . . fi biau yfory'.

rhethregol: (a) *rhetorical*

tyst: (eg) *witness*

Ymarfer 7.2

Dychmygwch eich bod chi mewn sefyllfa debyg

- fel Hywel – yn dyst o wrthdaro, neu
- fel Rhys – yn gadael cartref.

Ysgrifennwch gynllun. COFIWCH fod yn gynnil.

Edrychwch ar y siart i'ch atgoffa o'r gofynion.

Ysgrifennwch ymson.

8. Ysgrifennu ysgrif

Darllenwch y darn – paragraffau cyntaf ysgrif gan T.J. Morgan (wedi ei addasu):

Glaw
Dechreuais feddwl am y glaw, nid achos fy mod i wedi gwylio storm 'ddramatig' . . . ond ei weld yn destun traethawd mewn arholiad a darllen gwaith ugeiniau o blant arno. . . Cofiodd un o'r ymgeiswyr am ei bynciau eraill a sôn am ystadegau glaw ...monsŵn...y Sahara. Ond campwaith y traethodau oedd yr ysgrif a ddechreuodd gyda'r gosodiad syml: "Mae'n arllwys y glaw. Rwy'n mynd i'r sied waith i weld beth allaf ei wneud."
Roedd y bachgen wedi aros yn y sied trwy'r prynhawn yn tynnu ei feic yn ddarnau a'i roi at ei gilydd wedyn.
Roedd y diweddglo cellweirus yn gelfydd "Mae'r gwaith ar ben nawr. Af allan fel y golomen o Arch Noa. Mae wedi slacio."

traethawd: (eg) *essay*
ymgeisydd,ymgeiswyr: (eg) *candidate, -s*
ystadegau: (ell) *statistics*

gosodiad: (eg) *statement*

gallaf: *I can*

cellweirus: (a) *jocular*
yn gelfydd: *skilful*
af: *I will go*

Mae'r darn bach yna yn dweud llawer wrthyn ni am yr ysgrif. Sylwch ar ysgrif T.J.Morgan:

- y frawddeg gyntaf – yn dweud wrthyn ni pam mae e'n ysgrifennu am y glaw – yn mynd yn syth at ei destun.
- yn dweud beth i **beidio** â'i gynnwys mewn ysgrif, h.y. ffeithiau moel.

moel: (a) *bare*

Pan fyddwn ni'n defnyddio'r gair traethawd nawr, rydyn ni'n sôn am "erthygl ffeithiol". Dyna oedd gwaith yr ymgeisydd oedd wedi sôn am yr ystadegau ac ati.

Ymarfer 8.1

Edrychwch ar ysgrif y 'bachgen' ac ar y siart sydd ar y dudalen nesaf.
Ydy e wedi cofio am y gofynion?

Beth ydy ysgrif felly?

Dyma rai o'r pethau mae pobl wedi eu dweud am yr ysgrif:

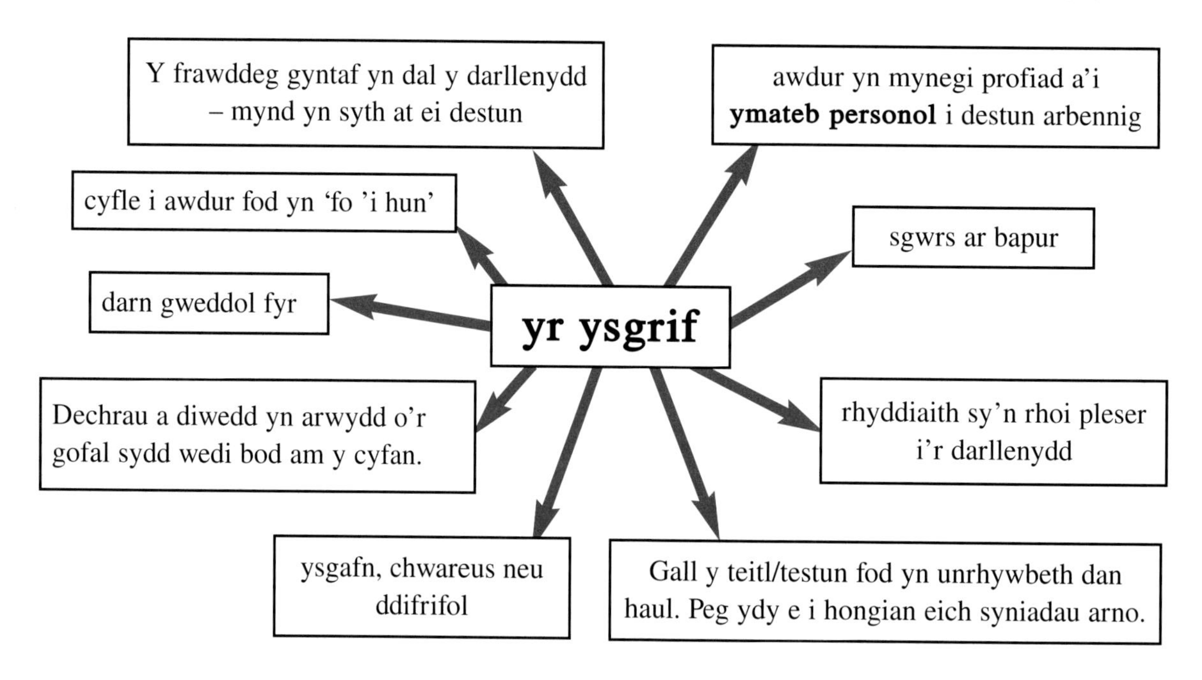

cyferbynnu: (b) *to contrast*

Mae arddull yn bopeth:

- llwyddo i ddweud eich meddwl yn glir a diwastraff
- dewis pob gair yn ofalus
- meddwl am gysylltiadau geiriau
- cyferbynnu
- amrywio hyd brawddegau a'u rhythmau
- paragraffau'n dilyn yn rhesymegol
- creu cyfanwaith crwn

"The essay should so reflect the writer's temperament and outlook that the reader can form a mental picture of the man he is." (C.H. Lockitt)

catrawd: (eb) *regiment*

musgrell: (a) *feeble*

ymosodiadau: (ell) *attacks*

rhedyn: (eg) *bracken*

estroniaid: (ell) *strangers*

aem: *we used to go*

gludiog: (a) *sticky*

pelydrau: (ell) *rays*

cwrso: (b) *to chase*

dieflig: (a) *devilish*

anweledig: (a) *invisible*

dyfyniad: (eg) *quote*

Darllenwch y darn hwn o ysgrif Dafydd Rowlands:

Medi 1939. Yr oeddwn yn wythmlwydd oed a chefais wely clyd yn y cwts-dan-stâr ... Aeth y Suliau tawel yn Suliau o sŵn – sŵn Capt. Mainwaring a'i gatrawd o wŷr musgrell, pob un â'i goes-brws ar ei ysgwydd ac LDV ar ei fraich, yn ymarfer eu hymosodiadau yn rhedyn y Barli, ac yn ymarfer eu sgidiau militaraidd rownd y tai. Cawsom gyfeillion newydd, estroniaid bach o Walthamstow a Chatham. Aethom yn deuluoedd i'r festri, fel rhai yn mynd i'r farchnad i brynu bydji neu grwban, a chael 'evacuee'. 'Plis, mam, allwn ni gael dou?' . . . Aem i'r ysgol Sul, ac ar ffenestri plaen y festri biwritanaidd yr oedd patrymau prydferth y papurau gludiog yn cynnal y gwydr rhag sioc y bomiau . . .

Fe ddaeth y pedwardegau: daeth y rhyfel yn nes ac yn fwy real. Cefais gwmni yn y cwts-dan-stâr. Goleuid y nos gan fflamau Abertawe a phelydrau llachar fel bysedd gwyn yn chwilio nenfwd y cwm am adar metel y gelyn. Ac yn y bore, wrth fynd i'r ysgol, casglem y 'shrapnel' garw, olion oer y nos boeth. Dwyn afalau o ardd Annie May a synnu bod y tŷ mor dawel a neb yn ein cwrso, a chlywed wedyn fod ei brawd wedi'i ladd mewn awyren. Mynd â'r afalau 'nôl a'u rhoi fel blodau dan y goeden... Aeth y rhyfel yn ei flaen a'n chwarae ninnau yn greulonach a mwy dieflig.

Dychwelodd fy nghefnder o Burma, o fforestydd yn fyw gan Siapaneaid anweledig, yn dawel a di-ddweud. Ac aeth y rhyfel yn ei flaen. Blinais arno, a mynd i gysgu yn y cwts-dan-stâr.

Teitl cyfrol ysgrifau Dafydd Rowlands ydy *Ysgrifau yr Hanner Bardd,* Cyfrol y Fedal, 1972 ac ar ddechrau'r llyfr mae'r dyfyniad:
'The essayist is really a lesser kind of poet'.
– Arthur Christopher Benson

dyfynnu: (b) *to quote*

Gadewch i ni edrych ar y darn sydd wedi ei ddyfynnu. Dydy'r ysgrif gyfan ddim yma, felly dydyn ni ddim yn gallu mynegi barn ar y cyfanwaith ond rydyn ni'n gallu gweld bod yma

- ymateb personol
- awdur yn mynegi profiad
- awdur yn gwneud pethau personol yn ddiddorol

Mae yma enghraifft dda o ysgrifwr yn meddwl am ei arddull – **bardd** sy'n ysgrifennu rhyddiaith yma.

Yn y pargraff cyntaf mae'r awdur yn rhoi darlun i ni o ymateb plentyn i'r rhyfel ar y dechrau, yn 1939.

lloches: (eb) *refuge, shelter*

Mae'n cael lloches

'gwely clyd y cwts-dan-stâr'.

Mae chwarae newydd gan y bechgyn.

Mae hiwmor yn yr ymateb i'r 'evacuees' a chynhesrwydd y croeso iddyn nhw yn y cwestiwn, 'allwn ni gael dou?'

Sylwch ar:

- y cyferbynnu – Suliau tawel . . . Suliau o sŵn
- y frawddeg

ar ffenestri **p**laen y festri biwritanaidd yr oedd **p**atrymau **p**rydferth y **p**apurau gludiog yn cynnal y gwydr

cyflythreniad: (eg) alliteration

– y darlun yn cyfleu harddwch a'r cyflythreniad yn creu rhythm esmwyth.

Ac yna 'rhag sioc y bomiau', sy'n egluro pwrpas y papurau, ac yn rhoi sioc i ninnau.

difrifoldeb: (eg) *seriousness*

Yna yn yr ail baragraff mae difrifoldeb y sefyllfa yn dod yn amlwg:

. . . daeth y rhyfel yn nes ac yn fwy real.

Sylwch ar:

- y frawddeg fer nesaf sy'n dweud llawer mwy na'r geiriau sydd ynddi

Cefais gwmni yn y cwts-dan-stâr.

Mae'r darlun o'r bomio agos yn dilyn a'r disgrifiad o'r shrapnel yn y bore fel

olion: (ell) *remains*

cyferbyniol: *contrasting*

olion **oer** y nos **boeth**

– dau ansoddair cyferbyniol.

- y newid yn y berfau wedyn. Yn y darn mae'r berfau wedi bod yn yr Amser Gorffennol hyd at y pwynt hwn. Berf-enwau sydd yn y frawddeg nesaf –

Dwyn . . . synnu . . . clywed . . . mynd . . . rhoi

Mae'r berfau hyn yn dweud beth mae'r plant yn ei wneud – y pethau maen nhw wedi arfer eu gwneud. Dydy'r rhyfel ddim yn effeithio ar eu byd.

Yna, mae'r berfau yn yr Amser Gorffennol eto.

- yr ailadrodd – fel mae'n dod yn ôl at y cwts-dan-stâr ac yn ailadrodd y frawddeg

Aeth y rhyfel yn ei flaen

cymdoges: (eb) *neighbour*

Yn yr ail baragraff hwn mae'r rhyfel wedi dod i'w fyd e'i hun – y bomio, brawd i gymdoges wedi'i ladd, cefnder yn dod adre a'i bersonoliaeth yn wahanol – yn dawel a di-ddweud

paru: (b) *to pair*

– paru geiriau yn effeithiol.

- y cloi effeithiol, yn dod â ni'n ôl i'r cwts-dan-stâr.

Ymarfer 8.2

Mae sawl cyffelybiaeth drawiadol yn y darn.

Chwiliwch amdanyn nhw. Beth ydy eu heffaith?

Darllenwch y detholiad o'r ysgrif hon oedd yn fuddugol yn Adran y Dysgwyr yn Eisteddfod yr Urdd, Dyffryn Nantlle ac Arfon, 1990, Adran Ysgol Gyfun Aberaeron.

DYDD GWENER Y TRYDYDD AR DDEG

Roeddwn i wedi ysgrifennu yn fy nyddiadur cyn i mi sylwi ei bod yn Ddydd Gwener y trydydd ar ddeg drannoeth. Dechreuais feddwl mor ffôl oedd y syniad fod un diwrnod yn fwy anlwcus na diwrnod arall.

Bore trannoeth roeddwn yn dal i gysgu'n hwyr a Mam yn galw arnaf i frysio. Roeddwn yn gwisgo fy hosan pan aeth fy mys drwyddi a gwneud twll mawr. O diar – ble roedd y nodwydd a'r gwlân? Roeddwn i'n chwilio amdanynt yn y fasged pan aeth blaen y nodwydd i fewn i fy mys ac yna roedd hwnnw wedi gwaedu sbotyn mawr ar fy mlows lân. Doedd dim amdani ond newid y sanau a'r flows a rhedeg i lawr y grisiau i'r gegin gan fwrw fy mhenelin nes fy mod yn gweld sêr. Roedd rhaid i mi lyncu fy mrecwast a stwffio fy llyfrau ysgol i'r bag ar frys mawr a chyrraedd yr ysgol fel roedd y gloch yn canu.

Doedd dim diwedd ar fy helyntion. Yn y wers Gymraeg cefais siom fod fy nhraethawd mor llawn o wallau, ac amser cinio roedd siom arall yn fy nisgwyl – na chefais fy newis i chwarae hoci yn erbyn Tregaron. Amser cinio roedd wedi dechrau bwrw glaw.

Fel roeddwn yn cerdded yn ôl i'r ysgol roedd y teils yn cwympo a phobl yn rhedeg i bob man.

nodwydd: (eb) *needle*

gwaedu: (b) *to bleed*

twrw: (eg) *noise*

Roeddwn yn wlyb iawn yn cyrraedd adref. Eisteddais i wylio teledu o flaen y tân. Roeddwn wedi clywed twrw mawr a gweld fflach y fellten ac i ffwrdd â'r trydan – dim tân, dim teledu a dim golau i ddarllen na gwnïo. Roedd rhaid goleuo cannwyll ond doedd dim gwres yn honno.

Wrth edrych allan drwy'r ffenest doedd dim golau o gwbl yn y dre. Doedd dim amdani ond bwyta yng ngolau'r gannwyll a mynd i'r gwely i gynhesu. Dydd Gwener y trydydd ar ddeg!

Emma Humphries

Ymarfer 8.3

Edrychwch eto ar y siart sy'n rhestru'r pethau mae pobl wedi eu dweud am yr ysgrif.

Ydy'r awdures wedi rhoi sylw i'r gofynion?

Ymarfer 8.4

1. Meddyliwch am rywbeth sy'n bwysig i chi'n bersonol neu am ryw brofiad rydych chi wedi ei gael ac ysgrifennwch y syniadau sy'n dod i'ch meddwl. Peidiwch â phoeni am y drefn.
2. Cynlluniwch eich ysgrif trwy roi eich nodiadau mewn trefn h.y. gofalu am y dilyniant
   - allech chi ychwanegu dyfyniad neu stori?
   - beth ydy naws eich ysgrif – ysgafn, chwareus neu ddifrifol?
3. Ysgrifennwch y drafft cyntaf. Defnyddiwch y cyfrifiadur.
4. Edrychwch eto ar y bocs arddull
5. Darllenwch eich drafft:
   - ydych chi eisiau newid unrhyw air / ychwanegu / gwella rhywbeth?
   - ydych chi wedi rhoi sylw i'r frawddeg gyntaf a'r diweddglo, wedi creu cyfanwaith?
   - ydych chi wedi rhoi teitl i'ch ysgrif?

9. Ysgrifennu portread

Rydyn ni wedi sôn sut i ddisgrifio cymeriad mewn stori (tt. 38-42).
Bryd hynny, wrth gwrs, mae'r awdur yn gallu defnyddio'i ddychmyg i lunio'r cymeriad.

Ambell waith, mae awdur yn disgrifio

ymddygiad: (eg) *behaviour*

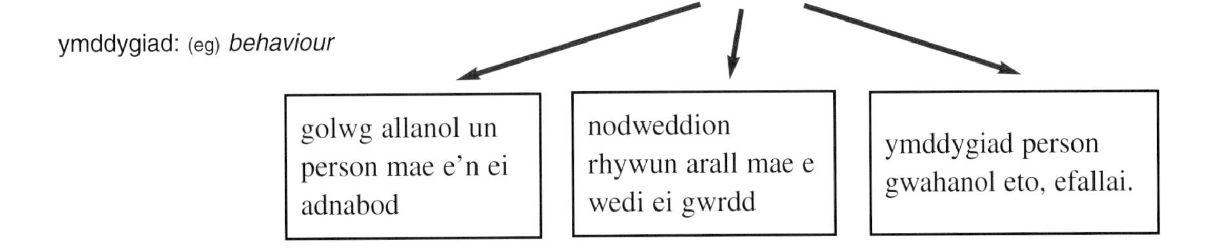

Mewn portread y peth pwysig ydy portreadu'r person **byw** neu'n well fyth gadael i'r person ei bortreadu e'i hun. Mae **dangos** nid **dweud** yn rheol bwysig i'w chofio wrth ysgrifennu portread – 'peth i'w weld ydy portread', fel portread ar ganfas.
Mae arlunydd yn gofalu nid yn unig roi darlun o olwg allanol, fel darlun camera, ond hefyd mae'n ceisio dweud rhywbeth am gefndir neu statws a phersonoliaeth y person mae'n ei bortreadu, dangos nodweddion fel –

direidus: (a) *mischievous*
sarhaus: (a) *insulting*
osgo balch: *proud stance*
hunan-fodlon: *self-satisfied*

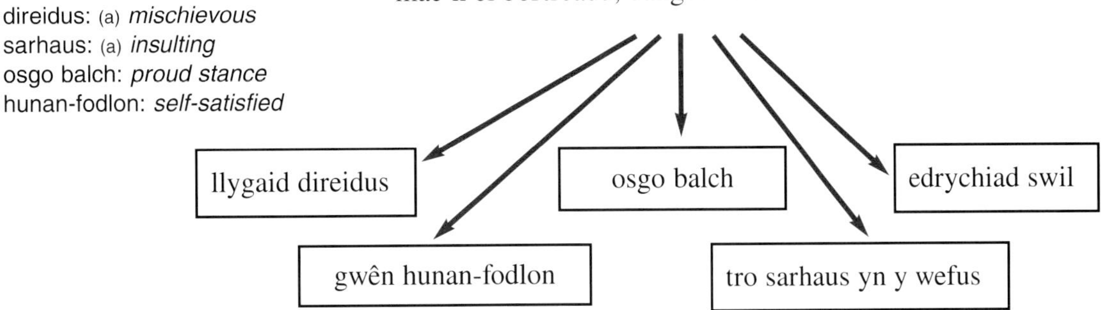

Wrth lunio portread mewn geiriau, rydyn ni'n gallu sôn am y pethau sydd yn y siart hwn, er efallai na fydd pob un yn berthnasol bob amser:

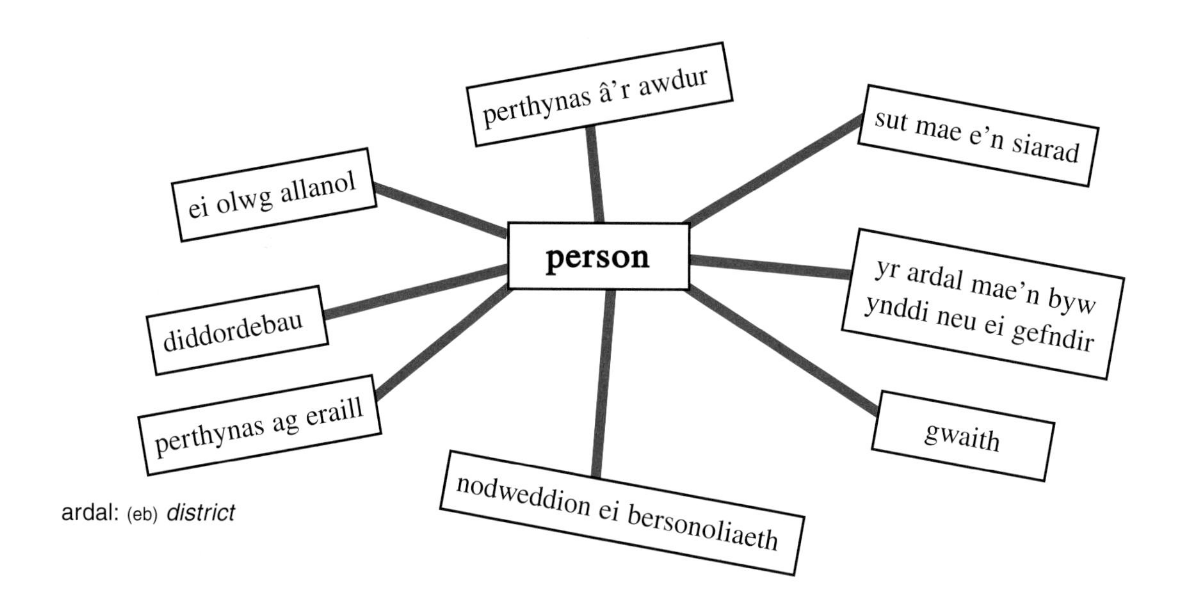

ardal: (eb) *district*

Mae ambell awdur yn defnyddio'r term 'ysgrif-bortread'. Fel yr ysgrifwr, mae awdur wrth ysgrifennu portread yn ysgrifennu yn bersonol. Mae e'n sôn am ei ymateb e'i hun i'r person mae'n ei ddisgrifio neu'n sôn am y berthynas sy rhyngddyn nhw.

Mae rhai yn portreadu person enwog, rhai eraill yn 'gymeriadau' diddorol mewn rhyw ardal neu'i gilydd.

Darllenwch y portread hwn, detholiad ac addasiad o bortread o blentyn gan Gwawr Maelor. Fe ysgrifennodd hi'r portread pan oedd hi'n 14 oed. Roedd ei rhieni yn gofalu am gartref plant Bontnewydd. Un diwrnod fe ddaeth Tomos i'r cartref:

Tomos

Cyrhaeddodd Tomos i'r cartref plant â bocs cardbord wedi ei wasgu dan ei gesail. Ynddo roedd llun Siân ei chwaer, car bach a gafodd gan ei nain, rwber a ffelt pen rhyw 'ffrind' a lwmp o sebon coch, mawr i olchi'i byjamas.

cesail: (eb) *armpit*

Wedi golchi ei ben, gwelson bod ganddo fop o wallt melyn cyrliog, a llygaid mawr pell fel rhai llo bach. Rydw i'n ei gofio yn gwrando'n glust-fyddar ar y plant yn holi – "Sgin ti fam?" "Ti'n rhegi?" "Tisho marblan, hwda gei di togo fi . . ."

yn glust-fyddar: *with a deaf ear*

hwda: *here, take this*

togo: marblen fawr

Roedd yn gallu bod yn foneddigaidd iawn. Roedd yn diolch drosodd a throsodd am ei fwyd a'i ddillad glân. Roedd y profiad o gael dillad newydd iddo fel plentyn yn cofio ei Nadolig cyntaf. Roedd yn mynd i guddio yng nghornel y tŷ i arogli lledr ei esgidiau newydd a bodio'r ffwr ar ei gôt. . .

boneddigaidd: *polite*

Ond hefyd roedd e'n bioden o hogyn. Byddai'n dod adref o'r ysgol â rhywbeth bach yn ei boced bob tro, un ai rwber neu bren-mesur neu arian, ac roedd ganddo gasgliad o bensiliau lliw dan fatras ei wely.

pioden: (eb) *magpie*

Yn ffodus iawn iddo fe, cafodd Tomos fynd i fyw gyda chwpwl ifanc . . .

Ychydig cyn iddo fynd, cafodd weld ei fam a'i chwaer am y tro olaf, mae'n debyg. Criodd yn hidl, nid ar ôl ei fam ond am ei fod biti dros Siân, ei chwaer. Ei eiriau olaf wrthi oedd: "Gofyn i Mam gei di ddwad adra i fama i fyw." Gadawodd y cartref plant yn hapusach bachgen o lawer, gan gymryd dim ond llun Siân o'i focs cardbord, gan mai dyma'r unig drysor, mae'n debyg, o'i orffennol cythryblus.

yn hidl: *copiously*

fama: fan yma

cythryblus: (a) *troublesome*

Ymarfer 9.1

1. Sylwch ar

- yr adeiladwaith
  - y dechrau – ennyn chwilfydedd yn y syth
  - y cloi effeithiol
  - y defnydd o sgwrs
  - y cadwyno – cysylltu dechrau a diwedd.

2. Chwiliwch am enghreifftiau o
  - gyffelybiaethau / trosiad
  - yr apêl i'r synhwyrau

Mae Islwyn Ffowc Ellis yn dechrau ei bortread o Ifan O. Williams gyda sgwrs:

> 'Mi fedri di 'i neud o wsti.'
>
> 'Na fedra.'
>
> 'Medri'n tad. Gwranda di arna i rŵan. Rydw i'n gwybod y medri di.'

medru: (b) *to be able to*

Mae'r ysgrifwr yn sôn fel roedd Ifan O. wedi ei ffonio dro ar ôl tro yn gofyn iddo ysgrifennu caneuon neu ddrama neu ffantasi ar gyfer y radio neu'r teledu. Roedd y sgwrs 'run fath bob tro

> 'Fedri di sgwennu . . .
>
> 'Na, fedra i ddim-'
>
> 'Medri'n tad.'

Roedd Ifan O. yn ceisio perswadio bob tro ac Islwyn Ffowc Ellis yn ystyfnig.
Teitl y portread ydy 'Talu Dyled'.
Pan oedd yr awdur yn ysgrifennu'r portread roedd Ifan O. wedi marw a dyna ydy ystyr y teitl – mae'r awdur yn diolch am fod Ifan O. wedi ei annog i ysgrifennu.
Mae yma gyfanwaith crwn, y dechrau a'r diwedd yn ffurfio cadwyn achos fel hyn mae'r portread yn gorffen–

ystyfnig: (a) *stubborn*
talu dyled: *to pay a debt*

> Fe fydd yn chwith i amryw ohonom . . . am rywun i ddweud, pan fyddwn ni'n ystyfnigo [yn ddi-hyder],
>
> 'Na wir, fedra i ddim–'
>
> 'Medri'n tad.'

Yn y pytiau o sgwrs mae'r awdur wedi dangos sut bersonoliaeth oedd gan Ifan O. Mae wedi gadael i'r person ei bortreadu ei hun trwy'r sgwrs.

Rydyn ni hefyd wedi cael gwybod beth oedd y berthynas rhwng y ddau.

Rydyn ni wedi sôn fod rhai awduron yn portreadu 'cymeriad' diddorol sy'n byw yn eu hardal. Dyma ddarn byr o bortread felly, lle mae'r awdur yn dweud stori er mwyn dangos sut bersonoliaeth sydd gan Anti Sera Penarth:

> . . . rwy'n mwynhau ei chwmni am fod y plentyn ynddi o hyd. . . .
> Dyma un stori amdani'n cydgerdded un diwrnod gyda 'Miss Jones, Miwsig', hen ferch wedi suro drwyddi ac yn cwyno am bawb a phopeth gyda'i thafod sgorpionaidd, siarp. Aeth y ddwy heibio i gapel lle roedd priodas – gwraig weddw yn ail briodi. Traethai'r hen ferch yn hallt iawn yn erbyn 'yr ail briodi yma'. 'Nid yw ail briodi yn beth gweddus o gwbl. Dylai un gŵr fod yn ddigon i unrhyw wraig.' Ac meddai Anti Sera â'i llygaid yn pefrio o ddireidi, 'Wel, dyna fel mae pethau yn yr hen fyd yma, Miss Jones. Tipyn yn anwastad, yntefe? Rhai yn cael gormod a rhai yn cael dim!'
>
> Karina Perry

traethu: (b) *to preach*

gweddus: (a) *seemly*
pefrio: (b) *to twinkle*
direidi: (eg) *mischief*
yn anwastad: *unequal*

[Enillydd y gystadleuaeth 'Portread o gymeriad lleol' yn Eisteddfod yr Urdd, Bro'r Preseli, 1995, Aelwyd Pantycelyn, Aberystwyth]

Ymarfer 9.2

Ysgrifennwch bortread o berson rydych chi'n ei adnabod yn dda – ffrind neu un o'r teulu neu gymydog. Ceisiwch adael i'r person ei gyflwyno ei hun i ni, trwy sgwrs a stori.

Adran B

1. Stori newyddiadurol

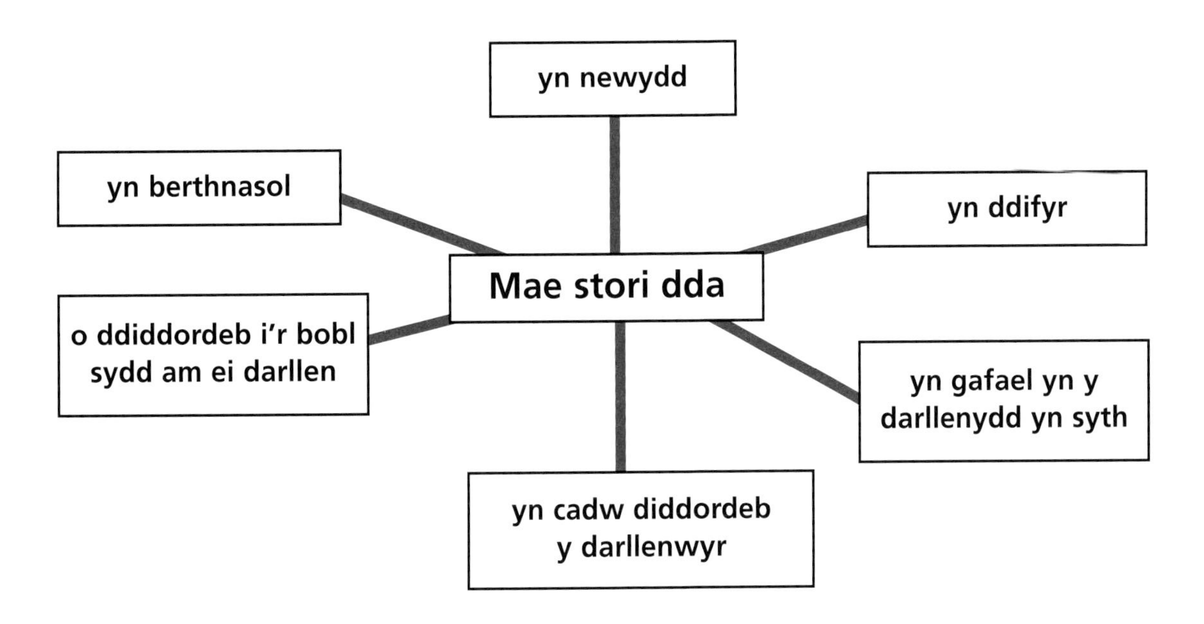

Arwr yn achub dau o blant

Mae bachgen yn ei arddegau wedi cael ei alw yn arwr, wedi iddo achub dau o blant ar Ynys Môn.

Roedd Richard Steadman, a oedd yn dathlu ei ben-blwydd yn 16 mlwydd oed yr wythnos hon, yn gweithio yng Nghlwb Hwylio Caergybi pan ofynnwyd iddo lywio cwch i achub dau fachgen oedd mewn *dinghy* rwber a oedd wedi cael ei sgubo o'r lan gan y llif.

"Roedd fy nghalon yn curo pan ddywedodd heddwas wrthyf ei fod angen mynd allan i achub y ddau fachgen," meddai Richard.

"Pan gyrhaeddon ni, fe welais ddau blentyn oedd yn gwisgo dillad tenau iawn. Roedd hi hefyd yn mynd yn hwyr."

Peryglus

"Roedd y gwynt yn newid, roedd hi'n dechrau tywyllu ac yn oeri. Roedd perygl i'r bechgyn gael eu sgubo i lwybr y llongau.

Mae Richard, sy'n ddisgybl yn Ysgol Uwchradd Caergybi, yn gyrru tacsi dŵr y clwb hwylio.

"Fy ngwaith ydy hebrwng pobl i'w cychod, ni feddyliais erioed y buaswn yn achub neb. Rwy'n falch 'mod i yno a bod y bechgyn yn saff."

Roedd y bechgyn lleol yn oer wedi'r digwyddiad ond heb gael eu hanafu.

Dywedodd John Parry, Ysgrifennydd Mygedol Gorsaf Achub Caergybi y byddai llythyr yn sôn am gyfraniad Richard yn cael ei anfon at yr RNLI.

"Rydym yn falch iawn ohono," meddai.

(Addasiad o stori *Y Cymro*)

arwr: (eg) *hero*
llywio: (b) *to steer*
hebrwng: (b) *to escort*
anafu: (b) *to injure*
mygedol: (a) *honorary*
cyfraniad: (eg) *contribution*

Cyn i ohebydd *Y Cymro* ysgrifennu'r stori sy ar dudalen 122, roedd yn rhaid iddo fe ddilyn rhai camau. Bydd yn rhaid i chi wneud yr un peth:

Casglu gwybodaeth

Mae'r ffordd y byddwch yn gwneud hyn yn dibynnu ar natur y stori ei hun.
Ambell dro, bydd yn golygu

- mynd i lyfrgell neu archifdy ac ati
- troi at y rhyngrwyd i chwilio am ffeithiau

archifdy: (es) *archive repository*

Cyf-weld

Ond, **fel arfer**, mae'n golygu **holi pobl**.
Dylech geisio cael gair â'r rhai:

- sy'n cael eu heffeithio ganddo
- sy'n adnabod y bobl y digwyddodd hyn iddyn nhw
- sy'n gyfrifol am yr hyn sy wedi digwydd
- sy mewn awdurdod – e.e. llefarydd ar ran cwmni neu'r heddlu
- sy'n arbenigwyr ar y pwnc dan sylw.

yn gyfrifol am: *responsible for*
mewn awdurdod: *in authority*
llefarydd: (eg) *spokesperson*
arbenigwyr: (ell) *experts*

Safbwynt

Er enghraifft, pe bai damwain yn digwydd ar y rheilffordd, byddech yn ceisio cael gair â rhai, neu bawb, o'r bobl hyn:

- unrhyw un a fu yn y ddamwain ac sy'n ffit i siarad
- llygad-dystion, os oes rhai
- perthnasau neu ffrindiau
- llefarydd ar ran y rheilffordd
- yr heddlu, y gwasanaeth ambiwlans, y gwasanaeth achub ac ati.

llygad-dystion: (ell) *eye-witnesses*

Mae **sawl** ochr i bob stori, ac mae'n bwysig cofio hynny wrth fynd ar ôl stori newyddiadurol. Ceisiwch edrych ar eich stori chi o safbwynt nifer o bobl wahanol.

gohebwyr: (ell) *reporters*

cyffwrdd: (b) *to touch*

cyfraniad: (eg) *contribution*

Ymarfer 1.1

- Edrychwch eto ar y stori sy ar dudalen 122. Sylwch pwy gafodd ei holi a beth oedd ganddyn nhw i'w ddweud.
- Dychmygwch eich bod yn dîm o ohebwyr yn gweithio ar bapur newydd. Mae'r golygydd yn anfon eich tîm chi ar ôl stori am ffatri yn yr ardal sy'n cau.

Dilynwch y camau hyn:

1. Trafod straeon am ffatri'n cau rydych chi wedi eu darllen yn y papur newydd, neu wedi eu clywed ar y radio neu'r teledu. Pwy oedd y bobl oedd yn cael eu holi yn yr erthyglau neu'r eitemau?
2. Trefnu pwy i'w holi. Ceisiwch feddwl am y gwahanol bobl y bydd eu bywydau yn cael eu cyffwrdd gan hyn.
3. Ysgrifennu rhestr o'r bobl rydych chi eisiau eu holi.
4. Cymharu eich rhestr chi â rhestr y grwpiau eraill yn y dosbarth.
5. Edrych dros restr eich grŵp chi eto.

- Oeddech chi wedi ceisio edrych ar eich stori o wahanol safbwyntiau trwy holi nifer o bobl?
- Oedd gan bawb oedd ar eich rhestr chi gyfraniad gwirioneddol i'w wneud i'r stori?

Holi

Ar dudalen 9, fe ofynnon ni gwestiynau am benawdau papur newydd

Beth sy wedi digwydd?

Ble mae e wedi digwydd?

Pryd mae e wedi digwydd?

I bwy mae e wedi digwydd?

Pam mae e wedi digwydd?

Sut mae e wedi digwydd?

Mae gohebydd yn gofyn y cwestiynau hyn hefyd. Wrth gasglu'r atebion bydd ganddo sgerbwd stori.

yn berthnasol: *relevant*

Efallai na fydd y cwestiynau i gyd yn berthnasol i bob stori, ond bydd y rhan fwyaf ohonyn nhw **yn** berthnasol bob tro.

cyflwyniad: (eg) *introduction*

Meddyliwch am y storïau rydyn ni wedi sôn amdanyn nhw:

- achub dau o blant
- damwain ar y rheilffordd
- ffatri'n cau

Yna, gofynnwch y chwe chwestiwn am bob un. Ydych chi'n gweld y storïau yn datblygu wrth i chi ateb y cwestiynau?

Mae fformiwla arbennig ar gyfer ysgrifennu stori bapur newydd:

Ar dudalennau 30-37, trafodon ni sut i ddechrau darn o waith dychmygus yn effeithiol. Fe ddywedon ni ei bod hi'n bwysig iawn i hoelio sylw'r darllenydd o'r dechrau. Mae hynny yr un mor wir am stori bapur newydd.

Un cyngor da sy'n cael ei roi yn aml ydy hwn:
Dychmygwch eich bod yn dweud y stori wrth ffrind

Dyma i chi enghraifft:

Mae dau fachgen, Guto a Marc, wedi cael llond bol ar wersi. Ar ôl cinio, mae'r ddau yn penderfynu mynd i'r dref. Maen nhw'n mynd yno ar draws y caeau rhag i neb eu gweld. Fel maen nhw'n dod at y goedwig fechan sy'n ymyl yr afon, maen nhw'n clywed sŵn rhyfedd yn y coed. Yna, yn sydyn, mae cath fawr, fawr, tua phedair troedfedd o hyd, yn neidio allan i'w cyfarfod o ganol y brigau a'r dail. Mae ei chôt hi'n llyfn ac yn ddu ac mae'r bechgyn yn sylweddoli eu bod yn edrych ar biwma. Mae hi'n ysgyrnygu arnyn nhw ac maen nhw'n sylwi bod gwaed ar ei cheg. Mae'r ddau yn sgrechian dros y lle, yn troi ar eu sodlau ac yn rhedeg i ffwrdd.

Mae Guto a Marc yn dweud yr hanes ar ôl cyrraedd yn ôl.

Mae eich ffrind gorau chi gartref y diwrnod hwnnw. Ar ôl i chi fynd adref, y peth cyntaf rydych chi'n ei wneud ydy codi'r ffôn i ddweud hanes Guto a Marc wrtho/wrthi.
Ond ym mha drefn ydych chi am ddweud y stori?

troedfedd: (eb) *foot in measurement*

llyfn: (a) *smooth*

ysgyrnygu: (b) *to snarl*

sodlau: (ell) *heels*

Dechrau da

Fel arfer, byddai rhywun yn dechrau gyda'r prif newydd yn gyntaf:

Mae Guto a Marc wedi gweld piwma!!

ac yna'n mynd ati i roi mwy o fanylion:

Roedd hi i lawr yn y Coed Duon yn ymyl yr afon ac fe neidiodd hi allan o'u blaenau nhw ac roedd gwaed ar ei cheg hi . . .

gan orffen gyda'r manylion llai pwysig (i'r stori hon):

mitsio: (b) *to play truant*

Roedd Guto a Marc wedi mitsio ti'n gweld . . .

Felly,

- Y CYFLWYNIAD = prif newydd y stori
- Y MANYLU = rhoi cig ar asgwrn Y CYFLWYNIAD
- Y MANYLION LLAI PWYSIG = ffeithiau 'eilradd' i'r stori.

eilradd: *secondary*

Sylwch ar y CYFLWYNIAD i'r stori uchod:

Mae'n cynnwys un frawddeg –

brawddeg fer, syml, glir.

Dydy hi ddim yn bosibl bod mor gryno â hyn bob amser, efallai. Ond ceisiwch gadw eich brawddeg gyntaf mor fyr ac mor syml ag sy'n bosibl. Mae'n bwysig bod eich neges yn glir i'r darllenydd.

Mae un stori (hollol wir!) o'r Unol Daleithiau am ohebydd papur newydd oedd wedi cael llond bol o'i olygydd yn cwyno bod ei frawddegau cyntaf yn rhy hir. Un diwrnod, fe ysgrifennodd:

"DEAD. That was what Harry Serbronski was after his car hit a telephone pole at 86 miles per hour."

Efallai ei fod wedi mynd yn rhy bell ond cofiwch gadw brawddeg gyntaf stori newyddiadurol yn fyr!

Ymarfer 1.2

1. Edrychwch eto ar ffeithiau'r stori am y piwma.
2. Defnyddiwch y fformiwla a'r awgrymiadau sy ar dudalennau 126-7
3. Ysgrifennwch y stori ar gyfer papur newydd – defnyddiwch y cyfrifiadur.

- Darllenwch y darn isod.

drutaf: (a) *most expensive*

Rydych wedi mynd i'r dref agosaf un dydd Sadwrn. Fel rydych chi'n cerdded heibio i dŷ bwyta drutaf y dref am tua dau o'r gloch y pnawn, mae eich tiwtor yn dod allan. Mae hi'n cario o leiaf hanner dwsin o fagiau o wahanol siopau'r dref – y siopau gorau, drutaf.

Mae hi'n gwenu arnoch chi wrth ddod allan o'r tŷ bwyta ac yn dweud 'Helo', ac yna'n cerdded i lawr y stryd. Rydych yn sylwi ei bod yn cael trafferth i symud gan ei bod wedi prynu cymaint o bethau. Ar hynny, mae rhyw wraig arall yn dod i'w chyfarfod ac rydych yn clywed honno'n dweud wrthi, "Llongyfarchiadau! Ro'n i'n clywed eich bod chi wedi cael lwc efo'r Loteri!" Tua deng munud yn ddiweddarach, rydych yn gweld yr athrawes yn gyrru ar hyd y stryd mewn Porsche newydd sbon.

Ar ôl i chi fynd adref rydych yn ffonio eich ffrind gorau i ddweud wrtho/wrthi beth rydych chi newydd ei weld a'i glywed.

Ymarfer 1.3

Dilynwch y camau hyn:

1. Gwneud dwy golofn. Yn y golofn ar y chwith gwneud rhestr o'r holl bwyntiau sydd yn y darn darllen, ar ffurf nodiadau, e.e. Gyrru Porsche newydd sbon.
2. Meddwl beth fyddai'r peth cyntaf un y byddech yn ei ddweud wrth eich ffrind a'i roi ar ben y rhestr yn yr ail golofn.
3. Rhoi'r pwyntiau i gyd yn yr ail golofn yn y drefn y byddech yn eu dweud wrth eich ffrind.

   Ydych chi wedi dilyn y fformiwla?

yn y drefn: *in the order*

COFIWCH mai'r un egwyddor sydd y tu ôl i ysgrifennu stori bapur newydd â dweud stori wrth ffrind.

egwyddor: (eb) *principle*

Pan fyddwch chi'n holi pobl, mae'n bosibl y byddwch yn gweld y bydd

amherthnasol: *not relevant*

- rhai yn crwydro wrth siarad ac yn sôn am bethau sy'n amherthnasol i'ch stori chi
- eraill yn dawel iawn a bydd yn rhaid i chi geisio eu perswadio i siarad (heb roi geiriau yn eu cegau!)
- rhai yn gadael brawddegau ar eu hanner, heb eu gorffen
- eraill yn ailadrodd
- llawer o bobl yn dweud pethau diflas fel 'ym . . . y . . . ym' a '*so*' ac ati drwy'r amser wrth siarad.

tacluso: (b) *to tidy*

Pan fyddwch chi'n mynd ati i ysgrifennu eich stori, bydd yn rhaid i chi dacluso rhywfaint ar eich deunydd:

- gorffen brawddegau sydd wedi eu gadael ar eu hanner
- cael gwared ag ambell i "ym"
- tacluso y ffordd mae rhywbeth wedi cael ei ddweud er mwyn gwneud yr ystyr yn fwy eglur.

Ar dudalen 123 rydyn ni wedi sôn am ddamwain ar y rheilffordd. Digwyddodd y ddamwain rhyw bum can llath o dŷ Mrs Nansi James. Roedd hi gartref ar y pryd.

Dyma oedd ganddi i'w ddweud:

"Wel, yn y gegin oeddwn i yn gwneud teisen, teisen siocled. Dyna hoff deisen Tomos, y gŵr, chi'n gweld. Roedd hi newydd daro un ar ddeg; wy'n cofio 'ny achos roedd y radio mla'n, fydda i'n ei gweld hi'n gwmni yn ystod y dydd pan fydd Tomos mas yn gwitho a'r plant yn yr ysgol – ac roedd rhywun wrthi yn darllen y newyddion. Ta beth, fe glywes i'r trên yn mynd heibio fel y bydd e tua'r amser 'na bob bore a feddylies i ddim byd. Ond wir i chi, ryw funud wedi 'ny – os oedd e'n funud 'ed – fe glywes i'r sŵn ofnadw 'ma, fel . . . fel . . . wel, fel taran fawr sbo. Ac fe feddylies i bod 'na ddaeargryn neu rywbeth ofnadw fel'ny wedi digwydd. Ta beth, rywsut fe lwyddes i i fentro mas i weld beth oedd yn mynd mlân – er, cofiwch chi, roedd ofon mawr arna i, achos doeddwn i ddim yn siŵr beth fydde'n fy aros i. A wir, draw ar y rheilffordd, dim ond rhyw bum canllath o'r tŷ, dyna lle'r oedd y trên – ar ei ochr! – yn y cae a chymyle mawr duon o fwg yn codi uwch ei ben e! Wel, fe ges i shwd gymint o ofon, do wir! A wedi 'ny, fe glywes i bobl yn gweiddi a sgrechen ac fe ruthres i'n ôl i'r tŷ a ffonio 999 yn syth!"

taran: (b) *clap of thunder*
daeargryn: (eg) *earthquake*

naddu: (b) *(lit. to chip) pare*

Ymarfer 1.4

- Gwnewch gopi o'r darn sydd ar dudalen 131.
- Rhowch linell trwy bob dim sy'n amherthnasol i stori'r ddamwain ar y rheilffordd.

Os oes gan Mrs James hoff ddywediadau, ceisiwch gael gwared â nhw.

Yma, yn wahanol i waith dychmygus, ffeithiau'r stori yn unig sy'n bwysig, nid cymeriad Mrs James.

- Ar ôl i chi naddu nes bod dim ond prif bwyntiau'r stori ar ôl, ysgrifennwch nhw'n drefnus mewn paragraff neu ddau, gan gofio nodi mai Mrs James sy'n siarad a rhoi dyfynodau ar y dechrau a'r diwedd.

Ar ôl i chi orffen, trowch i dudalen 158 yn y llyfr.

gwrthrychol: *objective*

2. Erthygl ffeithiol

ysgrifennu gwrthrychol

- cyfleu gwybodaeth – h.y. cyflwyno ffeithiau, siartiau, graffiau, lluniau
- cyf-weld pobl a'u dyfynnu
- datgan barn neu fynegi safbwynt neu safbwyntiau

Arddull

- pennawd trawiadol i dynnu sylw'r darllenydd
- is-benawdau
- ysgrifennu clir, diwastraff
- cloi'n effeithiol
- dechrau gyda gosodiad clir, cryno sy'n dweud beth ydy pwynt yr erthygl
- nodi 'dwy ochr y geiniog' os ydy e'n bwnc dadleuol
- manylu gan lunio dilyniant rhesymegol

Y Farchnad Fawr

Mae clwy'r traed a'r genau wedi tynnu sylw at gymhlethdod y farchnad gig.

cymhlethdod: (eg) *complexity*

Pan fydd y mwg yn cilio, fe fydd pobol yn dechrau edrych o ddifri' ar batrwm y farchnad anifeiliaid yng ngwledydd Prydain.

Eisoes, mae cyhuddiadau'n dechrau cael eu gwneud yn erbyn sustem sy'n caniatáu i anifeiliaid gael eu symud gannoedd o filltiroedd ar y tro ac i gig deithio'n ôl ac ymlaen ar draws y wlad.

cyhuddiadau: (ell) *accusations*

caniatáu: (b) *to allow*
lladd-dai: (ell) *abattoirs*

Dau grŵp sydd ynghanol y dadlau – yr archfarchnadoedd, a'r prynwyr – y *dealers* – sy'n prynu a gwerthu anifeiliaid.

Y paraseit neu'r porthmon?

Mewn marchnadoedd anifeiliaid, mae yna bobl sy'n prynu a gwerthu anifeiliaid fferm ar ran ffermwyr, ac yn prynu ar gyfer lladd-dai a chigyddion, gan ddelio â channoedd neu filoedd o anifeiliaid ar y tro.

"Y prynwyr yw'r ddolen gydiol rhwng ffermwyr a'r diwydiant cig," meddai un prynwr o Ddyffryn Teifi.

dolen gydiol: *link*

crwyn: (ell) *skins*

lledaenu: (b) *to spread*
gwanychu: (b) *to weaken*

dan bawen: *dominated by*

allforio: (b) *to export*

Mae e wedi bod yn delio mewn gwartheg a defaid ers 1966. Ond dydy e ddim yn derbyn y theori fod y clwy' wedi lledaenu'n gyflym oherwydd fod prynwyr yn cludo'r anifeiliaid ar hyd a lled y wlad er mwyn cael y prisiau gorau.

"Mae e wedi lledaenu mor sydyn y tro yma am ei fod e mewn defaid. Mae loriaid o ddefed yn cario 300 dafad, ond dyw lori wartheg ond yn gallu cario 15 o wartheg."

Dan bawen y siopau mawr

Dyma farn un ffermwr o Ddyffryn Clwyd,

"Ers y clwy' rydan ni wedi colli'r farchnad rydd a'r siawns i allforio," meddai. "Mae'n bwysig gallu allforio er mwyn cael cystadleuaeth yn y farchnad.

"Roedd pethau'n codi jest cyn y clwy'," meddai, "achos roedd dipyn bach mwy o werth ar grwyn y defaid, roedd yr Ewro wedi bod yn cryfhau a'r bunt yn gwanychu, ac yn golygu ein bod ni'n cael mwy am y cig." . .

Lladd lleol

Mae Huw Evans o Dregaron wedi parhau i redeg lladd-dŷ bach lleol. Ac yntau hefyd yn gigydd, mae'n lladd anifeiliaid 18 o ffermwyr o'r cylch, ac yn darparu cig i'w siop e 'i hunan a chwe siop cigydd arall yn yr ardal.

Dydy e ddim yn trafferthu gyda phrynwyr na'r archfarchnadoedd.

"Dwi'n credu fod prisiau fy siop gig yn fwy cystadleuol na'r archfarchnadoedd, mae'r safon yn well a'r pris yn rhatach, " meddai, gan ychwanegu fod gwell blas ar gig sy'n dod yn syth o'r fferm i'r lladd-dŷ heb orfod teithio'n bell.

[Detholiad o erthygl gan John Barry Thomas o *Golwg*, Ebrill 2001]

Ymarfer 2. 1

Edrychwch eto ar y siart a chwiliwch am y nodweddion yn yr erthygl'Y Farchnad Fawr'.

Trafodwch pam mae'r gohebydd wedi dechrau'r erthygl gyda 'Pan fydd y mwg yn cilio . . .' (llinell gyntaf).

Ymarfer 2. 2

1. Trafodwch syniadau am bynciau fyddai o ddiddordeb i ddarllenwyr i ddechrau, e.e

- rhyw bwnc sy'n cael sylw yn y newyddion
- yr amgylchedd
- problemau ffoaduriaid neu bobl sy'n hawlio lloches
- hawliau'r anabl

2. Edrychwch ar y dudalen nesa' sy'n eich atgoffa o'r gofynion.
3. Defnyddiwch y cyfrifiadur i gyflwyno eich erthygl.

amgylchedd: (eg) *environment*

ffoaduriaid: (ell) *refugees*

lloches: *shelter, amnesty*

hawlio: (b) *to demand, to claim*

hawliau: (ell) *rights*

anabl: (a) *disabled*

Mae rhai o'r canllawiau a gawsoch ar gyfer ysgrifennu stori newyddiadurol yn berthnasol i'r dasg hon eto.

- Rydych chi'n gallu dilyn y camau: ymchwilio, cyf-weld, tacluso cyn dyfynnu
- COFIWCH :
- y fformiwla –

- sicrhau eich bod yn hoelio sylw'r darllenydd gyda'r frawddeg gyntaf.
- ei bod hi'n bwysig dewis pennawd ac is-benawdau trawiadol a chynnwys llun neu luniau os ydy hynny'n berthnasol.
- fod angen gwneud yn siŵr eich bod yn cynnal diddordeb.

cynnal: (b) *to maintain*

3. Ysgrifennu adolygiad

Edrychwch ar y siart:

gwerthfawrogi: (b) *to appreciate*

Darllenwch yr adolygiad hwn:
Sêr y Dociau Newydd gan Dafydd Huws [Cyfres y Dolffin]
(mae dechrau'r stori ar dudalennau 38-39)

Ar glawr y llyfr mae llun tri o bobl ifanc. Merch sydd yng nghanol y llun. Stori wedi ei hysgrifennu o'i safbwynt hi ydy hon. Mae'r stori'n dechrau gyda Non yn cyflwyno ei ffrindiau. Mae'r awdur yn ennyn ein chwilfrydedd. Rydyn ni eisiau gwybod beth sy'n digwydd i'r cymeriadau lliwgar hyn.
Maen nhw'n byw yn ardal y Dociau yng Nghaerdydd. Mae llawer o bobl o waed cymysg yn cydfyw yno. Mae Non ei hun yn hanner Sbaenes ond yn dweud yn bendant, 'Cymraes ydw i'.
Mae'n gyfnod o newid yn y Dociau. Maen nhw'n datblygu'r bae – 'yn cnocio'r Dociau i lawr er mwyn creu byd gwell'. Wrth ddarllen ymlaen rydyn ni'n gofyn, 'Byd gwell i bwy?' Mae pobl ddieithr yn gweld eu cyfle – yn prynu a gwerthu er mwyn gwneud elw. Rydyn ni'n cydymdeimlo â phobl y Dociau – Queenie sy'n colli ei chartref, tad Rocco sy'n colli ei gaffi.
Mae'r darlun o'r prif gymeriad yn un hoffus. Mae Non yn ymateb i ddigwyddiadau o'i chwmpas – weithiau'n ddwys, weithiau'n ddireidus, weithiau'n herio. Mae hi wedi ffansïo Tirion, ond un ohonyn 'nhw' ydy e ac felly siom sy'n ei haros. Mae'r cymeriadau eraill yn gredadwy.
Mae'r ddeialog yn ystwyth a naturiol a'r awdur wedi defnyddio deialog i ddangos y gwahaniaeth sydd rhwng y gwahanol gymeriadau, 'ni' a 'nhw'.
Mae'r dilyniant yn rhesymegol, yn adeiladu at yr uchafbwynt. Mae yma wrthdaro. Dim ond ar y diwedd mae'r awdur yn datgelu'r gyfrinach mai Cymry sy'n chwalu byd a breuddwydion pobl y Dociau. Dyna dristwch y sefyllfa. Mae arian 'crachach' y ddinas yn gallu difetha bywyd pobl sy'n byw yn yr un ddinas â nhw.
Roeddwn yn hoffi'r hiwmor sydd yn y darlun o ffrindiau Non. Mae'r awdur wedi creu awyrgylch lle arbennig a dangos y berthynas rhwng pobl mewn stori ddiddorol.

direidus:(a) *mischievous*

crachach: (ell) *petty snobs*

Ymarfer 3. 1

Trafodwch yr adolygiad sy ar dudalen 139.

Ydy'r adolygydd wedi ateb y gofynion:

- wedi egluro pam roedd y llyfr yn apelio ac wedi ymateb yn bersonol i'r stori?
- wedi sôn am:
  - safbwynt
  - y cymeriadau
  - y gwrthdaro
  - yr arddull?

Ymarfer 3. 2

Dilynwch y camau hyn:

1. Trafod unrhyw stori rydych chi wedi ei darllen – gall fod yn un o'r storïau rydych chi'n ei hastudio.

2. Ysgrifennu nodiadau ar:

- y cynnwys – Beth sy'n digwydd? – ysgrifennu crynodeb.
- y cefndir – Ble mae'n digwydd?
- yr amser – Pryd mae'n digwydd?
- y cymeriadau – y prif rai a'r rhai ymylol

  Ydyn nhw'n gredadwy?
- y safbwynt

O safbwynt pwy mae'r stori'n cael ei dweud?
Ydy hynny'n bwysig – yn lliwio'r dweud?

lliwio: (b) *lit. to colour (to influence)*

- yr adeiladwaith – y dechrau / y canol / y diwedd.

Ydy'r dechrau a'r diwedd yn effeithiol?
Ydy'r dilyniant yn rhesymegol?
Ydy'r stori ar batrwm arbennig –

stori gylch / stori benagored / stori tro-yn-y-gynffon

- arddull y storïwr
  - y dewis o eiriau –

    yn creu effaith, yn creu awyrgylch?
  - y ddeialog – naturiol?/ tafodiaith?
  - addurniadau e.e. cyffelybiaethau, delweddau ac ati

Beth am eich ymateb personol chi? Ydych chi wedi gallu uniaethu â chymeriad neu gymeriadau?
Ydy'r awdur wedi dweud rhywbeth am fywyd?

uniaethu â: (b) *to identify with*

3. Ysgrifennu adolygiad

4. Ysgrifennu galwedigaethol

Yn yr Uned hon, er mwyn gwneud nifer o dasgau perthnasol, rydyn ni'n mynd i ddefnyddio'r dychymyg a chwarae rôl dau berson ar brofiad gwaith am wythnos.

Mae Rhys wedi dewis mynd at gyhoeddwyr, Cwmni'r Cyfle.

Bore dydd Llun roedd Rhys yn helpu yn yr Adran Farchnata, yn pacio llyfrau. Canodd y ffôn. Rydyn ni am alw'r siaradwr yn B am funud.

cyhoeddwyr: (ell) *publishers*
marchnata: *marketing*

Galwad ffôn

Rhys:	Bore da, Cwmni'r Cyfle, Treheli.
B:	Bore da. Ga' i air â Mr Jenkins?
Rhys:	Mae'n ddrwg gen i, dydy e ddim yma ar hyn o bryd. Ga' i gymryd neges?
B:	O wel, wn i ddim . . . Roeddwn i wedi meddwl cael trafod . . ym . . . beth sy wedi cael ei drefnu . . . pryd bydd hi'n bosib i mi gael gafael arno fe?. . . Wel, ym . . . rydw i wedi sôn am . . . beth tybed ydy'r trefniadau ar gyfer ymweld â'r Wasg i drafod fy llyfr ddydd Gwener nesaf? Rydw i wedi ysgrifennu'r llyfr 'ma, 'dych chi'n gweld, ar adar y môr, a mae 'na luniau diddorol . . . Mae gen i rywbeth arall ar y gweill hefyd. Rydw i eisiau gwybod yn iawn beth sy'n digwydd . . . Gofynnwch iddo ffonio – 0187 782 429, rhwng 11 ac 1 os yn bosib.
Rhys:	Iawn. Fe ofala' i roi'r neges iddo fe. Ga' i'r rhif ffôn eto, os gwelwch yn dda, a'r enw?
B:	Morgan Richards – 0187 782 429
Rhys:	Diolch yn fawr.

trefnu: (b) *to arrange*

trefniadau: (ell) *arrangements*

ar y gweill: *on the go*

Tasg nesaf Rhys fydd ysgrifennu nodyn at Mr Jenkins.

Bydd yn rhaid i Rhys benderfynu beth oedd yn bwysig yn sgwrs Mr Richards. Rydyn ni wedi sôn yn yr unedau ar y ddeialog a'r stori newyddiadurol fel mae pobl yn crwydro i bob man wrth siarad. (tt. 48 a 130)

Ymarfer 4.1

Ar gopi o'r sgwrs, rhowch linell trwy bopeth mae Morgan Richards yn ei ddweud sy'n amherthnasol. Beth sy ar ôl? Dylech fedru ateb y cwestiynau hyn:

- Neges i bwy?
- Beth ydy'r neges? – yn gryno = ffonio
- Ble?
- Pryd?
- I ddweud beth?

Eich tasg chi ydy llenwi copi o'r ffurflen.

amherthnasol: (a) *irrelevant*

cryno: (a) *concise*

Neges ffôn

NEGES FFÔN

Dyddiad:

I: Amser:

Oddi wrth:

Rhif ffôn ar gyfer galw'n ôl:

Pryd:

Unrhyw neges arall:

Derbyniwyd gan:

Memo

Pan welodd Mr Jenkins y neges ffôn, anfonodd y **Memo** hwn at Rhys:

MEMORANDWM

At: Rhys

Oddi wrth: H.Jenkins

Dyddiad: 15/01/ 2001

Ymweld â'r Argraffwyr. Anfon Ffacs i ofyn ydy'r trefniadau ar gyfer dydd Gwener, 19eg yn iawn, 2.00 o'r gloch.

Morgan eisiau trafod cyn iddyn nhw argraffu. Gofyn ydy e'n gallu gweld y peiriant lliw newydd.

dwyieithog: (a) *bilingual*

Wedi derbyn y Memo, aeth Rhys i nôl taflen Ffacs a llenwi'r dudalen flaen ddwyieithog:

Ffacs

CWMNI'R CYFLE
Maes yr Afon
Treheli
Morgannwg

Neges Gyflun / *Facsimile Message*

At / *To* Seimon James

Corff / *Organisation* Argraffwyr Treheli

Dyddiad / *Date* 15/01/01

Oddi wrth / *From* Huw Jenkins

Tudalennau (yn cynnwys y clawr hwn)

Pages (including this cover) 1

Neges/ *Message*
Ydy'r trefniadau yn iawn ar gyfer ymweliad Mr Richards a fi ddydd Gwener y 19eg?
Mae Mr Richards eisiau trafod ei lyfr cyn i chi ei argraffu. Byddai e'n hoffi gweld y peiriant lliw newydd, mae'n debyg!
Roedden ni'n meddwl dod erbyn dau o'r gloch.

Anfonodd Seimon James, sy'n gweithio gyda'r Cwmni Argraffu, Gwasg Treheli, **e-bost** at Mr Jenkins.

e-bost

Seimon W. James,		15/01/01 03:30 pm,
From:	<SWJ@treheli.arg.uk>	
To:	<HJ@cwmnicyfle@cyh.uk>	
Date:	Thursday, January 15, 2001 03:30	
Subject:	Ymweliad	

Huw

Dau o'r gloch ddydd Gwener, 19eg yn iawn – Croeso 'carped coch'!

Seimon

Ymarfer 4. 2

Mae Helen (A) mewn gwesty ar brofiad gwaith, Gwesty'r Traeth.

Mae B yn ffonio. Mae e/ hi eisiau trefnu i gynnal cynhadledd i feddygon yn y gwesty.

cynhadledd: (eb) *conference*

perchennog: (eg) *owner*

Dydy perchennog y gwesty ddim ar gael.

1. Ar lafar, lluniwch y sgwrs ffôn.
2. Ysgrifennwch y neges.

COFIWCH nodi'r wybodaeth bwysig – rhif Ffôn a rhif Ffacs

manylion: (ell) *details*

Chi sydd i benderfynu ar y manylion, e.e. rydych chi'n gallu holi

- faint o bobl fydd yn dod i'r gynhadledd
- pryd maen nhw eisiau ei chynnal
- am sawl diwrnod bydd y bobl yn aros

cynnal: (b) *to hold*

Ar ôl derbyn y neges mae perchennog y gwesty, Amanda Rees, yn anfon Memo at Helen, i ddweud wrthi beth i'w ysgrifennu mewn neges Ffacs, e.e.

- lle i faint o bobl sydd yn y gwesty
- prisiau
- cyfleusterau

Ymarfer 4. 3

Ysgrifennwch y Memo.

Efallai eich bod yn gallu defnyddio templad o'ch cyfrifiadur.

Ymarfer 4. 4

Defnyddiwch eich Memo i lunio neges Ffacs.

Cofiwch lenwi'r dudalen flaen yn Gymraeg.

E-bost gafodd Mrs Amanda Rees yn ateb.

Ymarfer 4. 5

1. Lluniwch y neges e-bost.

Chi sydd i benderfynu:

- am faint o ddyddiau mae'r meddygon eisiau aros yn y gwesty?
- faint o bobl sy'n dod?
- ydyn nhw angen rhywbeth arbennig e.e.

  ystafell ddarlithio

  uwchdaflunydd

  llungopïwr

  teledu?
- beth fyddan nhw eisiau? gwely a brecwast a chinio nos ac ati?

COFIWCH: Bydd iaith hwn yn fwy ffurfiol na'r un a gafodd Huw Jenkins ond bydd y patrwm yr un fath.

uwchdaflunydd: (eg) *overhead projector*
llungopïwr: (eg) *photocopier*

ffurfiol: (a) *formal*

Agenda

Ar y dydd Mawrth gofynnodd Cyfarwyddwr Cwmni'r Cyfle i Rhys deipio **Agenda** ar gyfer cyfarfod staff.

CYFARFOD STAFF CWMNI'R CYFLE, TREHELI
Mercher, 17 Ionawr, 2001
11 o'r gloch

AGENDA / RHAGLEN

1. GAIR O GROESO GAN Y CYFARWYDDWR
2. YMDDIHEURIADAU
3. DERBYN COFNODION CYFARFOD 12.12.2000
4. MATERION YN CODI O'R COFNODION
5. ADRODDIAD YR ADRAN FARCHNATA
6. ADRODDIAD Y GOLYGYDDION
7. DATHLU PEN-BLWYDD
8. LANSIO ac ARDDANGOSFA
9. DIWRNOD HYFFORDDI
10. UNRHYW FATER ARALL
11. DYDDIAD Y CYFARFOD NESAF

Pwrpas Agenda ydy rhoi gwybod i bawb fydd yn dod i'r Cyfarfod beth fydd yn cael ei drafod.

ymddiheuriadau: (ell) *apologies*

cofnodion: (ell) *minutes*

adroddiad: (eg) *report*

golygyddion: (ell) *editors*

dathlu: (b) *to celebrate*

arddangosfa: (eb) *exhibition*

hyfforddi: (b) *to train*

Ysgrifennu nodiadau

Yn y Cyfarfod Staff ddydd Mercher, cafodd Rhys gyfle i ysgrifennu nodiadau:

1. Croeso a Blwyddyn Newydd Dda !
2. Gwilym Price, dylunydd, yn ymddiheuro
3. Derbyn y cofnodion
4. Materion yn codi – peiriant newydd i Sali wedi ei archebu cyn 'Dolig – ddim wedi cyrraedd. Cinio 'Dolig yn hwyl.
5. Marchnata – gwerthiant da cyn 'Dolig – yn enwedig llyfrau plant. Angen ail-argraffu un llyfr yn barod
6. Golygyddion – nifer o lyfrau ar y gweill. Trafod blaenoriaethau. Martin (gol.) eisiau anfon hysbys i'r wasg yfory.
7. Cwmni'n dathlu pen-blwydd yn 21ain. Dathlu. Sut? – cinio? Ffair Lyfrau? Arddangosfa?
8. Diwrnod hyfforddiant - Llun, 22ain – rhaglen gyfrifiadurol newydd.
9. Dei angen llygoden newydd i'w beiriant. Ffenest y stordy wedi torri.
10. Cyfarfod nesaf

dylunydd: (eg) *illustrator*

ar y gweill: *in the pipeline, in progress*
blaenoriaethau: (ell) *priorities*

hyfforddiant: (eg) *training*

Sylwch: Dydy Rhys ddim yn ysgrifennu brawddegau llawn – dim ond nodi digon iddo gofio beth gafodd ei ddweud.

Mae wedi byrhau rhai geiriau e.e. gol. am golygydd, hysbys am hysbyseb

atgoffa: (b) *to remind*

byrhau: (b) *to shorten*

Cofnodion

Yna, aeth Rhys ati i ysgrifennu'r Cofnodion:

CWMNI'R CYFLE, TREHELI
COFNODION CYFARFOD STAFF
a gynhaliwyd am 11 o'r gloch,
Mercher, 17 Ionawr, 2001

YN BRESENNOL: Y Cyfarwyddwr (cadeirydd)
Swyddog Cyllid
Staff yr adran farchnata
Golygyddion
Dylunwyr

YMDDIHEURIADAU: Gwilym Price (dylunydd)

Croesawodd y Cyfarwyddwr y staff i'r cyfarfod a dymuno Blwyddyn Newydd Dda i bawb.

3. Derbyniwyd fod cofnodion Cyfarfod Rhagfyr yn gywir.
4. Materion yn codi,
   Roedd Sali (dylunydd) yn dal i ddisgwyl am beiriant newydd oedd wedi ei archebu cyn y Nadolig. Penderfynwyd anfon llythyr at y cwmni peiriannau. Diolchodd y Cyfarwyddwr i'r staff oedd wedi trefnu'r cinio Nadolig. Roedd pawb wedi mwynhau'n fawr.
5. Cafwyd adroddiad gan Tomos (o'r Adran Farchnata) ar werthiant llyfrau cyn y Nadolig. Roedd y llyfrau newydd i blant wedi gwerthu'n arbennig o dda. Mae un llyfr eisoes wedi gwerthu allan. Cytunwyd y dylid ail-argraffu mor fuan ag sy'n bosibl.
6. Cafwyd adroddiadau gan y golygyddion, yn rhestru pa lyfrau sydd ar y gweill ar hyn o bryd. Trafodwyd i beth roedd angen rhoi blaenoriaeth. Gan fod dau lyfr yn sôn am Ŵyl y Pasg penderfynwyd ceisio cael y rhain i'r siopau erbyn mis Mawrth.

cadeirydd: *chairperson*
cyllid: (eg) *revenue, income*
ymddiheuriadau: (ell) *apologies*
gwerthiant: (eg) *sale*
ail-argraffu: (b) *to reprint*

ymddeol: (b) *to retire*

7. Gan fod y Cwmni'n dathlu pen-blwydd yn un ar hugain oed eleni trafodwyd sut yr hoffai'r staff ddathlu – cael cinio a gwahodd staff sydd wedi ymddeol; cynnal Ffair Lyfrau, a fyddai'n ddull da o hysbysebu a chael Arddangosfa o'r llyfrau mae'r Cwmni wedi eu cyhoeddi dros yr un mlynedd ar hugain..

8. Trefnwyd i'r staff gael diwrnod o hyfforddiant, ddydd Llun, 22ain, ar raglen gyfrifiadurol newydd.

9. UNRHYW FATER ARALL:
Dywedodd Dei ei fod angen llygoden newydd i'w gyfrifiadur. Cynigiodd Lucy un sbâr iddo ond os nad ydy honno'n gweithio'n iawn, cytunwyd i'r Swyddog Cyllid archebu un newydd.

Soniwyd am ffenestr y stordy oedd wedi cael ei thorri yn y storm ddechrau'r flwyddyn. Bydd llyfrau yn difetha os bydd y glaw yn dod i mewn. Cytunwyd y bydd yn rhaid ei thrwsio yn fuan

10. Chwefror 14 fydd dyddiad y cyfarfod nesaf.

Sylwch:

- Mae angen ysgrifennu cofnodion fel **record** o beth sydd wedi digwydd mewn cyfarfod. Bydd pobl yn gallu troi'n ôl atyn nhw er mwyn setlo dadl ynglŷn â beth oedd wedi cael ei ddweud.
- Mae'r cofnodion yn cael eu hysgrifennu mewn brawddegau llawn
- Mae'r iaith yn eitha' ffurfiol
- Yn y ffurf Amhersonol mae llawer o'r berfau mewn cofnodion, e.e. adroddwyd, dywedwyd, penderfynwyd, cytunwyd. Mae hyn yn golygu dydyn ni ddim yn gwybod pwy'n union sy wedi dweud neu adrodd – mae un person efallai wedi siarad ar ran nifer o bobl; ac mae pawb wedi penderfynu neu gytuno, fel grŵp.

Ymarfer 4. 6

Mae staff Gwesty'r Traeth yn cynnal cyfarfod. Eich tasg chi (Helen) ydy

1. cyflwyno Agenda. Dilynwch y patrwm sydd ar dudalen 148 a defnyddio cyfrifiadur.

Dyma rai awgrymiadau i chi ar gyfer:

4. MATERION YN CODI – asesu partïon y Nadolig a'r Flwyddyn Newydd
5. ADRODDIADAU --
   a). staff y gegin
   b). staff y dderbynfa
6. CYNLLUNIAU e.e. dathlu Dydd Santes Dwynwen; sut i ddenu mwy o ymwelwyr, e.e.ydyn nhw'n gallu darparu gweithgareddau awyr agored / canolfan ffitrwydd?

darparu: (b) *to prepare, to offer*

2. Trefnwch y cyfarfod. Bydd angen i bawb ysgrifennu nodiadau.
3. Cymharwch eich nodiadau,
4. Ysgrifennwch y Cofnodion gan ddilyn y patrwm. Rydych chi'n gallu defnyddio'r cyfrifiadur eto.

COFIWCH ddefnyddio ffurfiau Amhersonol i'r berfau.

Cymharwch eich Cofnodion eto.

Oedd pawb wedi cofio sôn am bopeth oedd yn bwysig?

canllawiau: (ell) *guide-lines*

cyfarchiad: (eg) *greeting*

Ysgrifennu llythyr ffurfiol

Dydd Iau yng Nghwmni'r Cyfle mae Rhys yn ysgrifennu llythyr ffurfiol at y cwmni sy'n gwerthu cyfrifiaduron i gwyno am fod Sali yn dal i ddisgwyl am ei pheiriant newydd.

Mae'n rhaid i Rhys ddilyn patrwm arbennig wrth ysgrifennu llythyr ffurfiol. Edrychwch ar y canllawiau sydd ar ymyl y dudalen nesaf.

- Os nad ydych chi'n gwybod pwy fydd yn derbyn y llythyr, y cyfarchiad fydd–

  Annwyl Syr/Fadam

- Os ydych chi'n adnabod y sawl sy'n ei dderbyn neu wedi siarad â'r person ar y ffôn, gallech ysgrifennu

  Annwyl Mr Jones/ Mrs Lloyd
  (Miss neu Ms neu Fns.)

Yna wrth gloi'r llythyr,

- Os mai Annwyl Syr/Fadam ydy'ch cyfarchiad chi, yna *Yr eiddoch yn ffyddlon* fydd eich clo
- Os ydych chi wedi defnyddio enw'r person, rydych chi'n cloi gyda *Yn gywir.*

(Os ydych chi wedi cael eich dysgu i ddilyn patrwm gwahanol, popeth yn iawn.)

cyfeiriad: (eg) *address*
cyfarch: (b) *to greet*

Dyma ysgrifennodd Rhys:

eich cyfeiriad chi neu bapur pennawd

Cwmni'r Cyfle,
Maes yr Afon,
TREHELI,
Morgannwg.
TR8 2YX

dyddiad

Ionawr 18, 2001

cyfeiriad y sawl sy'n derbyn y llythyr

Swyddog Marchnata,
Y Cwmni Cyfrifiadurol,
Ffordd y Traeth,
TREHELI.
TR8 4SJ

cyfarch y sawl sy'n derbyn y llythyr

Annwyl Syr/Fadam,

y neges – yn baragraffau

archebu: (b) *to order*
addewid: (eg) *promise*

Mae Cwmni'r Cyfle yn siomedig iawn nad ydyn ni ddim wedi derbyn y cyfrifiadur oedden ni wedi ei archebu fis Tachwedd.

Fe gawson ni addewid pendant y byddai'n cael ei anfon yma cyn y Nadolig. Doedd neb wedi awgrymu o gwbl ei bod yn bosibl y bydden ni'n gorfod aros amdano am yr holl wythnosau.

sylweddoli: (b) *to realise*

Mae ein dylunydd eisiau cychwyn ar waith newydd ar y peiriant newydd. Rydw i'n siŵr eich bod yn sylweddoli mor bwysig ydy hi i ni fedru cadw at amserlen benodol. Mae'r gyfrol mae hi'n dymuno ei dylunio i fod yn y Wasg ymhen y mis.

Fe hoffen ni gael gwybod pa bryd rydyn ni'n mynd i gael y cyfrifiadur. Os oes problem, bydd yn rhaid i ni archebu'r peiriant o rywle arall.

Hoffwn gael gwybodaeth yn fuan.

cloi'r llythyr

Yr eiddoch yn ffyddlon,

ar ran Huw Jenkins

denu: (b) *to attract*

amlinellu: (b) *to outline*

Ymarfer 4.7

Defnyddiwch eich cofnodion o gyfarfod staff Gwesty'r Traeth i'ch atgoffa beth oedd y syniadau ar sut i ddenu ymwelwyr i'r gwesty.

Ysgrifennwch lythyr ffurfiol at y Bwrdd Croeso

- yn egluro'r sefyllfa
- yn amlinellu eich syniadau
- yn gofyn beth sy'n debyg o weithio orau, yn eu barn nhw, yn eich ardal chi.

COFIWCH ddilyn y patrwm.

hysbyseb

Ar y pnawn Iau roedd Rhys yn cynllunio hysbyseb. Mewn hysbyseb mae angen

- tynnu sylw darllenydd
- dweud yn gryno beth sy'n cael ei hysbysebu

Dyma hysbyseb Rhys.

bro, bröydd: (eb) *region*
hud: (a) *enchanted*

Ar Daith i Fröydd Hud
gan Llwyd-Fychan

Dyma'ch cyfle i droi'r cloc yn ôl – teithio ar fwrdd llong hwyliau i ynysoedd a thiroedd pell ein byd.

Antur! Rhamant! Cyffro! Ofn!

Ymarfer 4.8

Lluniwch hysbyseb i Westy'r Traeth.

Chi sydd i benderfynu beth hoffech chi ei hysbysebu e.e.

- Noson Santes Dwynwen,
- pwll nofio newydd,
- canolfan harddwch a ffitrwydd,
- cwrs golff ac ati

Dyddiadur

Roedd athro gyrfaoedd yr ysgol wedi dweud fod eisiau i Rhys gadw **dyddiadur** yn nodi beth oedd yn ei wneud bob dydd ar ei brofiad gwaith.

Dyma ysgrifennodd Rhys am y diwrnod cyntaf:

Dydd Llun, Ionawr 15

Es i weld y Cyfarwyddwr, Mr Jenkins, a chael taflen yn dweud beth ydy 'ngwaith i weddill yr wythnos.

I'r ystafell bacio yn gyntaf i becynnu llyfrau i'w hanfon i'r llyfrwerthwyr.

Atebais y ffôn a llenwi ffurflen Neges i Mr Jenkins. Fe anfonodd Memo yn ôl a gofyn i mi anfon Ffacs.

Ymarfer 4.9

1. Defnyddiwch y tudalennau sy'n dweud beth oedd Rhys wedi bod yn ei wneud ar hyd yr wythnos.
2. Ysgrifennwch ei ddyddiadur.

Dylai dyfyniad Mrs James fod rhywbeth yn debyg i hyn:

"Roeddwn i yn y tŷ ychydig wedi un ar ddeg pan glywais i sŵn dychrynllyd, fel taran fawr, y tu fas," meddai Mrs Nansi James sy'n byw wrth ymyl y rheilffordd. "Pan fentrais i mas, gwelais fod trên wedi troi ar ei ochr yn y cae rhyw bum canllath o'r tŷ. Roedd cymylau mawr duon o fwg uwch ei ben. Fe glywais i bobl yn gweiddi ac yn sgrechian, felly fe redais i'n ôl i'r tŷ a ffonio 999 yn syth."